RED LIPSTICK MONSTER

RED LIPSTICK MONSTER

tajniki makijażu

Ewa Grzelakowska-Kostoglu

Kraków 2015

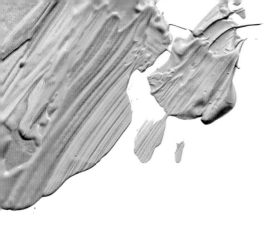

Pierwsze wrażenie

Od chwili, kiedy pojawił się pomysł napisania tej książki, wiedziałam, że najtrudniejsze będzie dla mnie stworzenie wstępu, bo przecież to wstęp jest odpowiedzialny za pierwsze wrażenie podczas „spotkania" czytelnika i autora. Kiedy widzimy kogoś po raz pierwszy, wiemy, że mamy tylko jedną szansę, żeby go sobą zainteresować. Ja też mam tylko jedną szansę i chcę ją dobrze wykorzystać. Od razu wyjaśnię więc, dlaczego ta książka jest wyjątkowa. Jest inna niż pozostałe poradniki dotyczące urody i makijażu, ponieważ moje spojrzenie na te kwestie znacznie różni się od popularnych poglądów, a ja sama nie uznaję ogólnie przyjętych podziałów (na przykład na typy urody) i wzorów działania (choćby takich, jak wyznaczanie optymalnego kształtu brwi za pomocą trzech linii). Tego rodzaju schematy mają z założenia pasować do wszystkich, a przecież każda z nas jest inna. Nie warto upodabniać się do tłumu, bo to, co decyduje o naszej odmienności, jest jednocześnie tym, co nas wyróżnia i co powinniśmy pielęgnować. To właśnie wyjątkowość czyni nas pięknymi.

Chcę ci pokazać, jak podejmować najlepsze wybory dotyczące urody. Nie tylko podaję gotowe rozwiązania i podpowiadam, jak osiągnąć wybrany efekt, ale też opisuję, czego nie warto robić. Dzięki temu będziesz mogła łatwo skorygować swoje przyzwyczajenia lub zastosować nowe, lepsze rozwiązania, rozumiejąc, dlaczego pewne pomysły są dla ciebie niekorzystne, a inne mogą się świetnie sprawdzić.

Moją książkę kieruję do osób początkujących i średnio zaawansowanych w sztuce makijażu, ponieważ to właśnie one najbardziej potrzebują tego rodzaju poradnika. Każda z nich znajdzie tutaj coś dla siebie.

Moja historia

Chciałabym opowiedzieć ci krótko o tym, jak z osoby, która po prostu chciała kogoś uczyć, stałam się tym, kim jestem teraz: najpopularniejszą polską youtuberką makijażową i autorką książki o sekretach makijażu. Jeszcze kilka lat temu nikt by mnie nie przekonał, że to wszystko będzie możliwe.

Z wykształcenia jestem kosmetologiem i pedagogiem, ale wizażu nauczyłam się sama – kosmetologia obejmuje zagadnienia związane z ogólnym dobrostanem skóry i poprawą jej kondycji, nie skupia się na makijażu. Po części mam duszę artystki i któregoś dnia, w połowie moich studiów, zapragnęłam poznać sztukę stosowania „kolorówki". Wcześniej nie malowałam nawet siebie. W mojej kosmetyczce można było znaleźć tylko przeterminowany tusz do rzęs i niebieskie cienie do powiek. Zostanie makijażystką było dla mnie skokiem na głęboką wodę, ale stwierdziłam, że to właśnie chcę robić i w tym widzę

swoje artystyczne spełnienie: chcę malować siebie i innych.

Postanowiłam, że nauczę się tego sama. Postawiłam na metodę prób i błędów, a eksperymenty makijażowe przeprowadzałam na własnej twarzy i na twarzach wszystkich moich koleżanek. Ich cierpliwość była dla mnie ogromnym wsparciem. Bardzo pomogły mi także anglojęzyczne kanały makijażystek na YouTubie. Właśnie dlatego, że jestem samoukiem, nie uznaję uniwersalnych zasad, które mogłyby mnie ograniczać. Nie chodzę wydeptanymi ścieżkami, tylko wytyczam własne szlaki, kierując się rzeczywistymi potrzebami ludzi. Malując różne osoby (czy to modelki do sesji, czy dziewczyny, które uczyły się robić makijaż, czy po prostu wszystkie te, które chciały być profesjonalnie umalowane), słuchałam ich uwag, śledziłam też sugestie moich widzów, znam więc prawdziwe potrzeby kobiet i zdaję sobie sprawę,

jak bardzo są one różne. Wiem również – z doświadczenia – jak dobrze to indywidualne podejście sprawdza się w praktyce.

Skąd wziął się pomysł, żeby uczyć wizażu? Paradoksalnie jako licencjat kosmetologii i magister pedagogiki oraz osoba, która posiada udokumentowane doświadczenie makijażystki, miałam ogromne problemy ze znalezieniem pracy. Na rozmowach kwalifikacyjnych wypadałam świetnie, moje CV było doskonałe, ale przeszkodą okazywał się mój charakterystyczny wizerunek. Nie chciałam jednak rezygnować z robienia tego, co mnie interesowało, i zdecydowałam się na stworzenie własnego miejsca w Internecie, a dokładnie na YouTubie. Zaczynając, nigdy bym nie pomyślała, że trzy lata później liczba wyświetleń moich filmów co miesiąc będzie wynosić co najmniej 4 miliony. To pokazuje, jak wiele osób mi zaufało i jak wielu mogłam pomóc w kwestiach dotyczących urody. Nawet nie marzyłam o takim rozwoju wypadków, a tym bardziej o tym, że mój kanał stanie się na tyle popularny, że umożliwi mi to wydanie książki, którą właśnie trzymasz w dłoniach.

Nie mogąc znaleźć pracy, wymyśliłam inny sposób na życie i teraz każdego dnia robię to, co kiedyś pozostawało dla mnie tylko w sferze marzeń. Z perspektywy czasu cieszę się, że nie zdobyłam wtedy pracy… Gdybym ją dostała, pewnie nie byłabym teraz w tym miejscu, w którym jestem. Czasami to, że czegoś nie możemy osiągnąć od razu, jest dla nas wbrew pozorom lepsze – bo hartuje charakter i pomaga się doskonalić albo… porzucić drogę, którą kroczymy i która być może nie jest dla nas wcale najlepsza. Ciężka praca i ciągłe uczenie się nigdy nam przecież nie zaszkodzą i w końcu zostaną nagrodzone – ale czasem musimy po prostu poczekać na to trochę dłużej.

Potrzebne są cierpliwość i odwaga, żeby kroczyć nową, niewydeptaną jeszcze ścieżką i słuchać przede wszystkim siebie, a nie innych. Nikt nie może ci mówić, jak powinnaś wyglądać, bo to ty masz się dobrze czuć w swojej skórze i to ty masz być zadowolona z tego, jaka jesteś. Dlatego też w tym podręczniku nie narzucam żadnych schematów. Pamiętaj, że…

Niczego nie musisz –
możesz wszystko

Bardzo często jestem pytana o to, dlaczego tak dużo osób odwiedza mój kanał na YouTubie i bacznie słucha tego, co mam do powiedzenia. Myślę, że bardzo ważnym czynnikiem jest to, że pokazuję różne metody i tłumaczę pewne kwestie tak, jak sama chciałam kiedyś je zobaczyć i usłyszeć. Książka opiera się na tej samej zasadzie – pragnęłam stworzyć taki podręcznik, z którego sama mogłabym się uczyć. Jego napisanie było dla mnie wspaniałym wyzwaniem, ponieważ na co dzień żyję w świecie wideo – nie w świecie słów i zdjęć.

Stworzyłam już filmy poświęcone sporej części zagadnień omawianych w tej książce. Niektóre materiały zawierają mniej informacji niż rozdziały tego poradnika, inne – wręcz przeciwnie – dokładniej objaśniają pewne sprawy. Dlatego zapraszam cię do zajrzenia na mój kanał na YouTube – aby ułatwić ci znalezienie właściwych odcinków, na końcu każdego rozdziału zamieściłam spis filmów, które odnoszą się do danego zagadnienia. Książka porusza też tematy, które nie zostały jeszcze zaprezentowane w formie wideo, na przykład kwestie związane z makijażem osób noszących okulary.

Chciałabym, aby robienie makijażu było przyjemnością, dlatego mam nadzieję, że będę wsparciem dla każdej osoby, która się go uczy. Taką funkcję ma też pełnić ta książka. Dobry nauczyciel jest dla ucznia nie tylko mentorem, ale przede wszystkim partnerem, który wspiera go w pracy nad sobą, zapraszam cię więc do kontaktu – wszystkie moje dane można znaleźć pod adresem: www.redlipstickmonster.pl.

Zachęcam cię też do publikowania zdjęć z niniejszą książką na twoim profilu na Facebooku lub Instagramie. Stworzyłam wyjątkowy hashtag: **#tajnikiRLM** – pomoże on zgromadzić w jednym miejscu wszystkie osoby, które w tym poradniku znalazły dla siebie coś ważnego. Szykuję też małą niespodziankę związaną z oznaczeniami tym właśnie hashtagiem, dlatego zapraszam do wrzucania zdjęć nie tylko z okładką, ale też z ulubioną stroną książki, poradą czy rozdziałem – albo do pokazania fotografii twarzy z makijażem wykonanym według moich podpowiedzi i strony ze wskazówką, która cię zainspirowała.

Pierwszym, co zobaczysz po tym wstępie, jest specjalna strona, na której możesz wypisać swoje urodowe problemy i słabości. To miejsce, gdzie możesz je wyliczyć, aby potem – w miarę czytania kolejnych rozdziałów książki – punkt po punkcie sukcesywnie wykreślać, dokładnie wymazywać, a nawet wydzierać, jeśli masz ochotę. Dzięki temu będziesz mogła śledzić swoje postępy aż do momentu, kiedy wszystkie problemy z tej listy znikną, co jest naszym wspólnym głównym celem!

Trzymam kciuki!

Ewe RLM
♡

Twoje makijażowe
cele i problemy

Oto miejsce, w którym możesz wypisać wszystkie swoje makijażowe problemy oraz cele. Zastanów się, co sprawia ci trudność, z czym nie najlepiej sobie radzisz i które techniki chciałabyś bliżej poznać, aby móc je stosować w codziennym makijażu. Chciałabym, aby ta lista była przez ciebie aktualizowana w trakcie lektury książki. Śmiało i z dumą skreślaj kolejne punkty!

Pędzel –
twój najlepszy przyjaciel

Jak wybrać pędzle
(i nie zwariować...)

Podstawą każdego dobrze wykonanego makijażu są umiejętnie dobrane pędzle. To właśnie one są twoimi najlepszymi przyjaciółmi podczas malowania się i to od ich doboru zależy, czy wykonywanie codziennego makijażu będzie dla ciebie przyjemnością czy udręką.

Skompletowanie idealnego zestawu pędzli to niełatwa sprawa… Sama jeszcze nigdy nie natknęłam się na gotowy komplet zawierający dokładnie takie pędzle, jakie byłyby mi potrzebne do wykonania pełnego podstawowego makijażu. Już dawno zrozumiałam, że gotowe zestawy nie są dla mnie i muszę skompletować własny, dobierając pędzle pojedynczo.

Pamiętam przygotowania do zakupu mojego pierwszego pędzla – miał być idealny. Wybrałam jeden z kultowych modeli – był nie tylko popularny, ale też bardzo drogi. Przymierzałam się do jego kupna cztery miesiące, zastanawiając się, czy przypadkiem nie oszalałam, myśląc o wydaniu tak dużej kwoty na pędzel. Jako amatorka nie byłam pewna swoich umiejętności tak, jak jestem ich pewna dzisiaj. Zaryzykowałam jednak i okazało się, że to miłość od pierwszego wejrzenia! Wtedy też, trzymając w ręce ideał, zrozumiałam, jak wielkie znaczenie ma każdy,

nawet najmniejszy element pędzla. Uświadomiłam sobie, jaka jest różnica między naprawdę dopracowanym pędzlem cieszącym się zasłużenie dobrą opinią, a tym kupionym zupełnie przypadkowo. Teraz chciałabym tę wiedzę przekazać również tobie.

W wielu książkach znajdziesz charakterystykę dostępnych na rynku rodzajów pędzli do makijażu, ale ja chcę ci pokazać, do czego służą konkretne modele, i udowodnić, że używając ich, nie powinnaś ograniczać swojej inwencji zaleceniami producenta. Oto informacje potrzebne do skompletowania twojego własnego zestawu pędzli: malutkiego, ale za to zaspokajającego wszystkie potrzeby właścicielki.

Gotowe zestawy są zazwyczaj za duże – zawierają zdublowane modele albo pędzle, których nie używa się na co dzień – a jednocześnie brakuje w nich ważnych rodzajów tych cudownych narzędzi. Najlepszym przykładem są pędzle do blendowania (czyli gładkiego, gradientowego rozcierania cieni na powiece – więcej informacji na ten temat znajdziesz w słowniczku na końcu książki), których w gotowych kompletach zazwyczaj nie ma.

Zestawy składają się najczęściej z kilkunastu, a niekiedy nawet z kilkudziesięciu pędzli – to dużo,

nie sądzisz? Tymczasem do wykonania perfekcyjnego makijażu potrzebujesz ich od pięciu do dziesięciu.

Wiele kobiet decyduje się na wybór zestawu po prostu dlatego, że nie wiedzą, jakie pędzle wybrać. Kupują cały komplet, bo widzą w nim mnóstwo małych i dużych kuszących cudeniek o różnych kształtach i zakładają, że będzie zawierał wszystko, czego potrzebują – i jeszcze więcej. Myślą, że to najlepsze rozwiązanie, podczas gdy jest dokładnie odwrotnie!

Jestem zwolenniczką samodzielnego kompletowania zestawu pędzli. Niech nikt ci nie mówi, co powinnaś mieć, a czego nie – sama to przecież wiesz najlepiej! Dlatego pędzle wybieraj, kierując się tylko i wyłącznie własnymi potrzebami, a nie hasłami marketingowymi.

Każda z nas ma nieco inne wymogi. Jeśli na przykład twoją ulubioną metodą aplikacji podkładu jest nakładanie go palcami, to przecież nie jest ci potrzebny pełny zestaw pędzli do podkładu. Zamiast go kupować, możesz zainwestować więcej na przykład w pędzle do makijażu oczu. Będziesz mieć wtedy te modele, których naprawdę potrzebujesz, i świadomość, że rozsądnie wydałaś pieniądze (co zawsze poprawia humor…).

Włosie syntetyczne kontra naturalne

Zanim zaczniemy kompletować nasz idealny zestaw pędzli, przypatrzmy się materiałom, z których się je wykonuje.

Włosie syntetyczne lub włosie naturalne – to jeden z podstawowych podziałów, choć dzięki współczesnej technologii czasem trudno odróżnić jedno od drugiego. Utarło się przekonanie, że naturalne włosie jest lepsze od syntetycznego. To mit. Nie dość, że pędzel z włosiem syntetycznym może być tak samo miękki i tak samo dobrej jakości jak ten z włosiem naturalnym, to przy niektórych kosmetykach sprawdzi się znacznie lepiej od naturalnego brata (na przykład przy tych o płynnej i kremowej konsystencji). Ważne jest to, żeby znać pewne drobne różnice między nimi i śmiało korzystać z tej wiedzy.

To, czy wybierzesz pędzle syntetyczne czy naturalne, zależy od wielu kwestii. Na przykład od twoich preferencji – jeśli wolisz konkretny rodzaj włosia, to tego się trzymaj. Znaczenie ma również rodzaj produktu, który ma być danym pędzlem nakładany – przy niektórych konsystencjach lepiej sprawdzi się włosie naturalne, przy innych syntetyczne (więcej

Nie musisz trzymać się sztywno zaleceń producenta dotyczących stosowania danego modelu pędzla. Jeśli twoim zdaniem określony pędzel lepiej nadaje się do innych zadań, nie krępuj się i korzystaj z niego tak, jak ci wygodnie.

WŁOSIE NATURALNE KONTRA SYNTETYCZNE

	naturalne	syntetyczne
zalety	– łatwiej przyjmuje kolor, więc dzięki niemu uzyskamy lepszą pigmentację tego samego produktu; – bardziej równomiernie rozprowadza produkty suche, pudrowe. To atut zwłaszcza w przypadku pędzli do różu i tych do rozcierania, bo maleje prawdopodobieństwo najgorszej z możliwych wpadek, czyli zrobienia plamy.	– nie jest aż tak łamliwe jak włosie naturalne; – zwykle nie uczula; – ponieważ jest bardziej wytrzymałe, można je myć nieco mniej delikatnie (i co za tym idzie – szybciej); ma to znaczenie zwłaszcza przy kosmetykach o kremowej konsystencji.
wady	– jest bardziej łamliwe i znacznie delikatniejsze niż syntetyczne; – trzeba myć je delikatniej, a tym samym trzeba poświęcić nieco więcej czasu na jego pielęgnację; – może uczulać; – może mieć niemiły zapach (na przykład pędzle z koziego włosia).	– zwykle nabiera nieco mniejsze porcje suchego produktu; – wymusza większe zużycie produktów pudrowych.

informacji na ten temat znajdziesz w dalszych częściach tego rozdziału). Pamiętaj też, że nie wszystkie twoje pędzle muszą być tej samej marki. Każdy producent ma zazwyczaj w ofercie kilka perełek, modeli naprawdę wyjątkowych, niekiedy nawet kultowych. Sztuka polega na tym, żeby zrozumieć ich fenomen i wybrać to, co dla ciebie najlepsze.

Zarówno naturalne, jak i syntetyczne włosie ma swoje zalety i wady. Przygotowałam małą ściągę, która ułatwi dopasowanie pędzla do twoich potrzeb.

Istnieją również pędzle, w których zastosowano oba rodzaje włosia. To pędzle *duo fibre* (zwane również skunksami). Używa się ich do konkretnych zadań i rzadko wchodzą w skład podstawowych zestawów do makijażu.

Ciekawostka: jednym z kosmetyków najbardziej niszczących pędzle jest pomadka, dlatego do niej zdecydowanie lepiej jest przeznaczyć pędzelek z włosia syntetycznego.

Ogólna zasada doboru pędzli pod względem zastosowanego w nich włosia: włosie naturalne sprawdza się przy produktach suchych, pudrowych, natomiast włosie syntetyczne pozwoli nam lepiej nałożyć produkty płynne i kremowe.

Narzędzia
zbrodni doskonałej

Wiesz już, czym różnią się pędzle syntetyczne od naturalnych, jakie są ich wady i zalety. Czas się dowiedzieć, do czego najlepiej będzie ich użyć. Nie jest sztuką posiadanie każdego możliwego narzędzia, liczy się umiejętny i świadomy wybór tych najlepszych. Aby ci to ułatwić, proponuję podzielić pędzle o najbardziej popularnych kształtach na trzy grupy:
- niezbędne,
- opcjonalne,
- niepotrzebne.

Postaram się jak najlepiej zaprezentować efekty, jakie można uzyskać, używając określonych rodzajów pędzli. Wybierając rezultat, który chcesz osiągnąć, dowiesz się, jakiego modelu pędzla potrzebujesz. Chcę, abyś była świadoma tego, jak detale budowy pędzla wpływają na jego jakość, dlatego przy każdym egzemplarzu omawiam tę zależność.

Zacznijmy od pędzli niezbędnych – najłatwiejszych w użyciu i najbardziej wielofunkcyjnych. To zaledwie pięć modeli i tylko od ciebie zależy, czy zechcesz poszerzyć tę listę o kolejne. Do pędzli niezbędnych zaliczam:

Mały puchaty pędzel

Może być spłaszczony lub okrągły – to zależy od twoich upodobań. Sama lubię mieć oba pod ręką, ponieważ efekty ich użycia nieco się różnią. Tego typu

okrągłe

małe puchate pędzle

spłaszczone

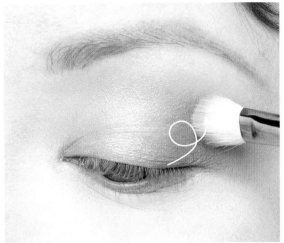

pędzel może służyć do nakładania cieni, rozcierania ich oraz do aplikacji korektora (szczególnie pod oczami).

Wybierając go, warto zwrócić uwagę, czy główka pędzla ma idealny kształt oraz czy włosie jest gęste. Ważne jest też, żeby z pędzla nie wystawał żaden włosek – taki outsider będzie później małym wrednym sabotażystą utrudniającym idealną aplikację kosmetyku. Główka pędzla musi być albo delikatnie zaokrąglona, albo lekko szpiczasta. Warto też pamiętać, że im dłuższe włosie, tym delikatniejszy

nacisk pędzla, a tym samym mniejszy transfer produktu z włosia na skórę.

Używając tego pędzla do nakładania cieni, zazwyczaj je wklepujemy (krótkie i delikatne pociągnięcia) oraz rozcieramy (zataczamy pędzlem małe, delikatne kółeczka).

Pędzel kulkowy

Zazwyczaj używamy go do makijażu oka. Może być mały, średni lub w większym rozmiarze – zależnie od wielkości twoich oczu i osobistych preferencji. Przy

super

kiepski

Jeśli twój pędzel kulkowy ma być jak najbardziej uniwersalny i nie chcesz kupować kilku egzemplarzy tego modelu – postaw na średni rozmiar, z włosiem o długości 5–7 mm.

wyborze zwróć uwagę, czy główka pędzla jest nieco szpiczasta – wtedy twój egzemplarz będzie bardziej wszechstronny. Powinien częścią włosków nabierać aplikowany produkt, a resztą go rozcierać. Włoski nie mogą być też za krótkie – jeśli tak jest, pędzel może okazać się zbyt twardy i nie rozprowadzać dobrze kosmetyku.

Większość makijaży oka jestem w stanie wykonać tylko dwoma pędzlami: małym puchatym oraz właśnie kulkowym. Jego precyzyjna końcówka aplikuje cień, a miękki, okrągły dół po lekkim dociśnięciu pięknie

dobre

kiepskie

rozciera kosmetyk. Pędzel kulkowy jest niezbędny do rozcierania różnych produktów – nie tylko cienia, ale też na przykład kreski przy rzęsach. Jest to także idealne narzędzie do makijażu dolnej powieki i zaznaczenia wewnętrznego kącika oka jaśniejszym cieniem.

Ruchy najczęściej wykonywane tym pędzlem to poziome muśnięcia, tak zwane prawo–lewo. W zależności od efektu, jaki chcesz uzyskać, możesz dowolnie operować długością tych muśnięć i siłą nacisku na główkę pędzla. Mogą to być króciutkie ruchy przy dużym nacisku (podczas aplikacji produktu) i delikatniejsze długie pociągnięcia (podczas rozcierania kosmetyku).

Duży, ścięty, puchaty pędzel do różu

Pędzel do różu nie musi być ścięty – może być duży, puchaty i okrągły. Ścięty jednak jest bardziej wielofunkcyjny – można go użyć do aplikacji różu oraz do konturowania twarzy (wtedy wykorzystujemy jego najdłuższy brzeg). Cenię ten kształt za pewną bardzo przydatną właściwość: minimalizuje ryzyko zrobienia plam różu na policzkach.

zbyt płaski

puchaty, bardzo dobry!

Tuż po nabraniu różu na pędzel warto strząsnąć z niego nadmiar kosmetyku – w ten sposób zmniejszymy ryzyko powstania plam na policzkach. Pamiętaj jednak, żeby robić to delikatnie, uderzając lekko pędzlem o dłoń, a nie na przykład z całej siły o kant stołu.

Wybierając swój pędzel, zwróć uwagę, czy jest puchaty i równomiernie zaokrąglony. Nie może być spłaszczony – „ścięty" to nie to samo co „płaski"! Na zdjęciach widać przykłady dobrych i złych pędzli tego typu. Jeśli chodzi o włosie w tym modelu, polecam naturalne, ponieważ pozwala na bardziej równomierną aplikację różu. To istotne zwłaszcza dla tych osób, które jeszcze nie mają wprawy w nakładaniu tego kosmetyku.

Dużym puchatym pędzlem nakładamy róż, zaczynając od miejsca, w którym chcemy uzyskać największą koncentrację koloru, a następnie przeciągając nim po skórze w stronę skroni.

Skośny, płaski pędzelek

Będzie bardzo pomocny przy wypełnianiu brwi oraz rysowaniu kreski (zarówno eyelinerem, jak i cieniem do powiek). Jest też niezastąpiony przy podkreślaniu linii rzęs (górnej i dolnej powieki). Jak widać, to naprawdę wielofunkcyjne narzędzie – niezbędne do czynności, które wymagają dużej precyzji.

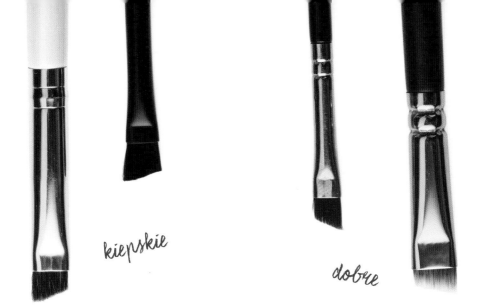

kiepskie

dobre

Wybierając ten rodzaj pędzla, należy zwracać uwagę, żeby był naprawdę solidnie i równo spłaszczony. Jest to bardzo ważne, ponieważ egzemplarz o większej objętości nie zapewni pożądanego efektu i będzie mniej precyzyjny. Przykłady dobrych i złych pędzli tego typu pokazuję na zdjęciach.

Ruchy, które wykonujemy małym płaskim pędzlem, zależą oczywiście od tego, jaki produkt aplikujemy i w którym miejscu. Na przykład podczas podkreślania linii rzęs wciskamy nim delikatnie kosmetyk tuż nad rzęsami, a podczas nakładania eyelinera stosujemy krótsze lub dłuższe pociągnięcia, w zależności od rodzaju rysowanej kreski.

Skośny, płaski pędzelek sprawdzi się przy makijażu ust, mimo że teoretycznie nie jest do tego przeznaczony. Rysując nim cienką kreskę, obrysowujemy usta, a po obróceniu pędzelka o 90 stopni płaską stroną włosia wypełniamy kontur pomadką. Ze względu na takie zastosowanie warto zdecydować się na pędzel z włosiem syntetycznym, mniej podatnym na uszkodzenia podczas bardziej intensywnego mycia.

V

X

Puchaty puszek do pudru

Musi być miękki, o dużej średnicy i grubiutki! Puszki płaskie jak naleśnik nie na wiele ci się przydadzą.

Często spotykam się z opinią, że do pudru potrzebujemy nie puszka, ale pędzla, za pomocą którego można oprószyć twarz kosmetykiem. Tymczasem puszek pozwoli ci nałożyć puder przez delikatne wciskanie go w skórę. To sprawi, że makijaż zyska na trwałości, a jednocześnie zużyjesz mniej kosmetyku. Dzięki temu nie tylko puder wystarczy ci na dłużej, ale też unikniesz efektu tapety na twarzy.

I jeszcze jedno: utrwalenie makijażu za pomocą puszka zapewnia też przedłużenie efektu matującego. Jego zaletą jest również to, że nie niszczy się zbyt szybko podczas mycia i jest znacznie tańszy od pędzla.

Puszek kończy listę akcesoriów niezbędnych do wykonania makijażu. **Teraz przyjrzyjmy się pędzlom, które zaliczyłam do grupy opcjonalnych.** Uważam, że są przydatne, ale nie niezbędne.

Pędzel do podkładu – przyda ci się, o ile lubisz go używać. Jeżeli wolisz rozprowadzać podkład palcami lub gąbką, rób tak dalej. Sama wiesz najlepiej, jak jest ci wygodniej. Jeśli jednak zdecydujesz się kupić pędzel do podkładu, zwróć uwagę, żeby włosie było gęste i zbite. Główka takiego pędzla może być płaska lub okrągła, najlepsze będzie włosie sztuczne albo *duo fibre*.

Duży i puchaty pędzel do pudru – jeśli wolisz używać pędzla zamiast puszka.

Jeśli wolisz używać pędzla do pudru zamiast puszka, to zapewne nakładasz kosmetyk przez omiatanie nim twarzy. Dla odmiany spróbuj nałożyć puder, delikatnie wciskając go w skórę – efekt może cię pozytywnie zaskoczyć.

Duży szpiczasty pędzel do konturowania [1] – przyda ci się, jeśli do konturowania potrzebujesz innego pędzla niż ścięty do różu i jeśli często decydujesz się na modelowanie całej twarzy (więcej informacji na temat konturowania znajdziesz w rozdziale poświęconym właśnie tej kwestii).

Płaski pędzel do nakładania cieni [2] – to najpopularniejszy model pędzla do oczu. Zakwalifikowałam go do grupy narzędzi opcjonalnych, ponieważ równie dobrze można nałożyć cień za pomocą lekko spłaszczonego, małego puchatego pędzla (nasz numer 1 na liście obowiązkowych). A jeśli chcesz uzyskać mocny kolor na powiece, nałóż cień własnym palcem – sprawdzi się lepiej niż jakikolwiek pędzel.

Cienki pędzelek do rysowania kresek [3] – jest bardziej precyzyjny od tego, który omówiłam w wykazie pędzli niezbędnych. Łatwiej nim narysować cieniutką kreskę eyelinerem. Wybierając go, zwróć uwagę na to, aby włosie było sprężyste i niezbyt krótkie.

> **N**ajlepszy cienki pędzelek, na jaki można trafić, to ten kupiony w sklepie… dla plastyków. Jest tani i precyzyjny, a także bardzo wytrzymały.

Za krótkie włosie

Na koniec lista pędzli moim zdaniem zupełnie zbędnych. Szczerze? Naprawdę nie wiem, po co
i dla kogo one powstały.

Łopatka duża [4]

Łopatka mała [5]

Pacynka [6] – czyli popularny aplikator gąbkowy

Wachlarz [7]

Niezamykany pędzelek do ust [8]

Warto jeszcze zaznaczyć, że pędzle (i puszki) to nie
jedyne narzędzia do nakładania makijażu. Do tego
celu służyć mogą także różne inne akcesoria: **gąbki
trójkątne [9], beauty blendery [10], zalotki [11]**
itp. Wybór jest bardzo duży. Warto poeksperymentować, aby znaleźć narzędzia najlepiej dopasowane do
swoich potrzeb.

Dbajmy o swoich
najlepszych przyjaciół

Aby pędzle służyły ci długo, bez względu na to, z jakiego włosia są wykonane, musisz zadbać o ich właściwe oczyszczanie, pielęgnację i przechowywanie. Poniżej znajdziesz najważniejsze wskazówki dotyczące tego, jak dbać o swoją kolekcję.

1. **Pędzle trzeba czyścić po każdym użyciu.**
Dotyczy to zwłaszcza tych modeli, których używamy do produktów o konsystencji płynnej i kremowej. Stosowanie przez tydzień tego samego, niemytego pędzla do podkładu może spowodować pogorszenie się kondycji twojej skóry.

> **D**o zmiękczenia zmierzwionego włosia pędzli można użyć odżywki do włosów. Sprawdzi się ona też w przypadku pędzli o zbyt twardym włosiu – niezależnie od tego, czy jest ono naturalne, czy syntetyczne. Ważne jednak, żeby była to odżywka wymagająca spłukiwania.

2. **Do mycia pędzli** najlepsze będzie delikatne mydło w płynie. Nie polecam szamponów – ciężko je później wypłukać. Uwaga! Najpierw zmocz pędzel pod bieżącą wodą, która dodatkowo skieruje włosie w dół (podczas mycia trzymaj pędzle zawsze włosiem do dołu), a dopiero potem nałóż środek myjący.

3. **Myjąc pędzle**, wykonuj nimi koliste ruchy na dłoni albo delikatnie przesuwaj włosie raz prawo, raz w lewo. Pamiętaj też, żeby moczyć je i płukać zawsze zgodnie z kierunkiem włosia, nigdy pod włos – dzięki temu zapobiegniesz rozklejaniu się pędzli.

4. **Najczęściej po umyciu pędzle czekają na ponowne użycie**, leżąc albo stojąc na baczność, na przykład w kubeczku. To wygodne dla nas, ale szkodliwe dla nich. Przez takie przechowywanie pędzle się rozklejają, włosie zaczyna się łamać i plątać, a główka traci zwartość i kształt. Dobrze jest suszyć pędzle w pozycji poziomej, w taki sposób, żeby nie leżały płasko, lecz miały główki skierowane lekko ku dołowi. Po całkowitym wyschnięciu można postawić je pionowo,

Zwykle najtrudniej jest oczyścić pędzle zabrudzone kosmetykami tłustymi i o kremowej konsystencji, takimi jak pomadki i podkłady. Paradoksalnie, najłatwiej będzie umyć je… również tłustym produktem. Wystarczy zmieszać czynnik myjący, na przykład mydło w płynie, ze zwykłym olejem. Taka mieszanka świetnie rozpuści trudne do usunięcia zanieczyszczenia. Nie zapomnij o dokładnym powtórnym umyciu takiego pędzelka, tym razem samym mydłem.

ale w na tyle dużym naczyniu, żeby ich główki nie zniekształcały się nawzajem.

5. **Susz pędzle bez pomocy kaloryfera**, suszarki do włosów czy mocnego słońca. Daj im trochę czasu, aby wyschły same – z główką skierowaną lekko w dół.

6. **Często przechowujemy pędzle w łazience**, co nie jest najlepszym pomysłem. Wilgoć i ciepło sprzyjają rozwojowi drobnoustrojów. Odkładaj swoje pędzle w suche miejsce!

Jeśli masz ochotę dowiedzieć się czegoś więcej na temat pędzli, zajrzyj na kolejną stronę, gdzie znajdziesz spis moich filmów poświęconych temu zagadnieniu.

Teraz, kiedy już wiesz, czego potrzebujesz i czego oczekujesz od narzędzi, którymi wykonasz makijaż, może ci się przydać kilka wskazówek dotyczących jego utrwalenia. Zapraszam do następnego rozdziału, w całości poświęconego trikom zapewniającym trwałość makijażu.

Oto moje filmy poświęcone różnym zagadnieniom związanym z pędzlami do makijażu.
Obejrzyj je, jeśli chcesz poszerzyć swoją wiedzę.

Cztery sposoby na mycie pędzli do makijażu
http://www.redlipstickmonster.pl/tajniki/mycie-pedzli.html

Test najtańszych pędzli do makijażu
http://www.redlipstickmonster.pl/tajniki/najtansze-pedzle.html

Recenzja pędzli GlamBrush
http://www.redlipstickmonster.pl/tajniki/glambrush.html

Pędzle do makijażu dla początkujących
http://www.redlipstickmonster.pl/tajniki/pedzle-dla-poczatkujacych.html

Recenzja pędzli Real Techniques Duo-fiber
http://www.redlipstickmonster.pl/tajniki/recenzja-duofiber.html

Wszystko o skunksach – czyli pędzlach *duo fiber*
http://www.redlipstickmonster.pl/tajniki/wszystko-o-skunksach.html

Problem

z trwałością makijażu twarzy i oczu

Jak zmienić bieg
krótkodystansowy w maraton?

Nietrwałość makijażu to problem, z którym zmaga się każda kobieta, nawet jeśli do jego wykonania używa tylko jednego kosmetyku. Dla niektórych z nas potrafi to być prawdziwą zmorą.

Chciałabym, aby wszystkie kobiety mogły cieszyć się pięknym i trwałym makijażem zawsze, niezależnie do okoliczności! Nieważne, czy mówimy o makijażu dziennym, czy o wieczorowym, czy wykonywanym na szybko przed wyjściem do pracy, czy pieczołowicie przygotowywanym przed imprezą. Zawsze można zrobić go tak, żeby nie zawiódł cię w nieodpowiednim momencie i pozostawał na twarzy tak

długo, jak długo będziesz go potrzebować – i ani minuty krócej!

Na kolejnych stronach pokażę ci dziesięć trików, które zapewnią trwałość twojemu makijażowi. Jednak zanim to zrobię, opowiem o tym, jak przygotować skórę do nałożenia kosmetyków kolorowych. Już na tym etapie decydujesz, czy makijaż będzie krótko- czy długodystansowcem.

Wiele osób nie zdaje sobie sprawy z tego, jak ważna jest prawidłowa pielęgnacja twarzy. Nie tylko pozwala nam zadbać o skórę, upiększyć ją i opóźnić procesy starzenia, ale też jest jednym z podstawowych czynników wpływających na trwałość makijażu.

Przejdźmy do konkretów. Przede wszystkim warto zadbać o:

— regularne złuszczanie naskórka (peelingi);

— stosowanie odpowiednich produktów pielęgnacyjnych, które przywracają skórze naturalne pH (temu służy tonizacja skóry);

— nawilżanie (odpowiednio dobrany krem).

I jeszcze jedna sprawa – czasami to, że podkład źle wygląda na twarzy, nie jest winą słabej jakości produktu. Znaczenie ma też kosmetyk, który znajduje się pod podkładem.

Oczyszczając i pielęgnując skórę, miej świadomość, w jakim celu to robisz. Inaczej będzie wyglądać demakijaż pod koniec dnia, kiedy na przykład możesz zaaplikować na noc ampułkę pielęgnacyjną i krem odżywczy (bardziej tłusty i cięższy), a inaczej, kiedy oczyszczasz skórę przed wyjściem z domu i nakładasz na nią kosmetyki służące jako baza pod makijaż.

Dziesięć zasad
trwałego
makijażu

1 Odpowiednie przygotowanie skóry do makijażu

Nawet najlepsze kosmetyki i doskonała znajomość techniki ich aplikacji nie zagwarantują trwałości makijażu. Nasza skóra powinna otrzymać codziennie niezbędną, dobrze dobraną do jej typu dawkę pielęgnacji.

Do mycia, jak również do demakijażu przyda się możliwie najdelikatniejszy środek (na przykład olej lub olejek, ewentualnie płyn micelarny).

Dobrze byłoby, żeby twoim zwyczajem stało się złuszczanie naskórka raz w tygodniu. Pamiętaj, żeby używać peelingu przeznaczonego do skóry twarzy – inne mogą okazać się zbyt drażniące.

Ostatni etap pielęgnacji to nawilżanie i odżywianie skóry. Lekki, szybko wchłaniający się krem nawilżający stosujemy na dzień, natomiast cięższy, odżywczy

produkt – na noc. Nigdy odwrotnie, ponieważ makijaż nałożony na natłuszczoną, nieodpowiednio przygotowaną skórę może się rozwarstwiać i migrować.

2 Postaw na bazę

Mam na myśli przede wszystkim bazę pod cienie do powiek. Nie wiem, jak kiedyś mogłam się bez niej obejść – dzisiaj uważam ją za jeden z najpotrzebniejszych kosmetyków. Odpowiednia baza nie tylko utrwala makijaż, ale też pozwala na łatwiejsze jego rozprowadzenie – na przykład dokładniejsze blendowanie cieni na powiece.

Istnieje spora grupa kobiet, które muszą radzić sobie z problemem wyjątkowo tłustych powiek. Nawet nałożenie bazy nie zapewnia w ich przypadku trwałości makijażu oka. Jeśli się z tym zmagasz, nie

martw się, jest dla ciebie ratunek! W takiej sytuacji oprócz bazy przyda się puder – ten sam, który stosujesz na twarz. Po nałożeniu bazy wystarczy oprószyć nim górną powiekę – problem gorszej trwałości cieni lub ich rolowania się powinien zniknąć.

Baza nakładana pod podkład, na całą twarz, ma nieco inne zadanie – w większości przypadków używa się jej, aby ujednolicić cerę. Oczywiście, taka baza pomaga przedłużyć trwałość makijażu, ale nie jest to działanie spektakularne. Niektóre bazy rzeczywiście korygują kolorystykę cery, częściej jednak wyrównują po prostu powierzchnię skóry oraz ją matowią.

Użycie bazy na twarz nie zawsze jest konieczne. Są kobiety, które jej nie potrzebują. Są też takie, dla których jest to niezbędny kosmetyk. Często ten sam produkt daje oczekiwane efekty u jednej osoby, ale

kompletnie się nie sprawdza u innej, mimo podobnego typu cery. Stosowanie bazy jest kwestią bardzo indywidualną, dlatego żeby wiedzieć, czy jest to kosmetyk dla ciebie, po prostu go przetestuj i zdaj się na swoje odczucia.

Jeśli zdecydujesz, że baza jest ci potrzebna, to pamiętaj, żeby używać jej bardzo oszczędnie. Im więcej nałożysz jej na twarz, tym mniej trwały będzie makijaż. Zdjęcie na stronie 38 pokazuje jak niewielka ilość produktu powinna ci wystarczyć na jedną aplikację.

3 Wklepywanie produktów

Ta czynność sprawia, że kosmetyk lepiej się trzyma na twarzy, ponieważ jest w nią „wtłoczony". Zwykle przy wklepywaniu zużywa się mniej produktu, jednocześnie uzyskując lepsze krycie niż na przykład przy rozcieraniu. Dotyczy to większości kosmetyków, których używasz – podkładu, pudru, ale też cieni do powiek (wklepanie ich zapewni dodatkowo efekt mocniejszego nasycenia koloru). Dlatego zawsze lepiej produkt wklepywać, niż na przykład rozcierać palcem,

tym bardziej że rozcieranie podkreśla zmarszczki i niepotrzebnie dodatkowo naciąga skórę.

4 Utrwalanie mokrych produktów suchymi

To jedna z podstawowych zasad wykonywania trwałego makijażu. Pamiętaj, każdy produkt mokry, jeśli nie zostanie potraktowany produktem suchym, będzie mniej trwały. Właśnie dlatego pokrywamy podkład pudrem. Działa to też w drugą stronę – jeśli chcesz utrwalić produkt suchy, trzeba pod nim umieścić produkt mokry. Dlatego na przykład cień do powiek nakładamy na bazę.

Wiele kobiet ma problem z odbijaniem się na powiece kreski narysowanej na linii rzęs. Aby tego uniknąć, dobrze jest pokryć całą powiekę cieniem

Wyprowadzimy teraz wzór na dobrze utrwalony makijaż: **mokre + suche = trwałe**. Ta reguła jest naprawdę warta zapamiętania.

do powiek (może być cielisty, nie chodzi tu o nało- żenie dodatkowego koloru, tylko o aplikację cze- goś suchego na skórę). W ten sposób cień, który jest produktem suchym, zabezpieczy powiekę na tyle dokładnie, że kreska nie będzie się na niej odbijać.

5 Mniej znaczy... trwalej

Im grubsze warstwy kosmetyków, tym mniejsza trwa- łość makijażu. Dlatego należy nakładać możliwie jak

najmniejsze porcje poszczególnych produktów. Róż- nica będzie ogromna, zapewniam.

Nie martw się, cieńsza warstwa kosmetyku nie oznacza, że produkt zadziała słabiej, będzie mniej trwały albo mniej kryjący. Jeśli na przykład chcesz, aby puder matujący naprawdę solidnie zmatowił twoją skórę, nie musisz wcale nałożyć go dużo. Wystarczy mała ilość, ale za to porządnie wklepana puszkiem.

A jeżeli na przykład nałożysz podkład i stwier- dzisz, że jego krycie cię nie satysfakcjonuje – nałóż

drugą, równie cienką warstwę, ale tylko w tych miejscach, gdzie potrzebujesz lepszego krycia. Nigdy nie nakładaj pojedynczej grubej… szpachli! Ta zasada obowiązuje nie tylko w przypadku kosmetyków aplikowanych na skórę, podobnie jest choćby z tuszem do rzęs – sama zobaczysz, że nałożenie dwóch cieńszych warstw da o niebo lepszy efekt niż jednej grubej.

6 Nie dotykaj!

Dotykanie twarzy, drapanie, podpieranie, pocieranie (przytulanie się niestety też…) – wszystko to zmniejszy trwałość makijażu. Często robimy to bezwiednie, na przykład zamyślając się, dlatego warto wyrobić sobie nawyk kontrolowania takich odruchów. Sama staram się nawet nie podpierać podbródka…

7 Nie dokładaj warstw

Kobiety często dokładają kolejne warstwy makijażu po to, żeby uzupełnić braki powstałe w ciągu dnia. Problem braków zniknie, jeśli nałożysz kosmetyki, wklepując je, a nie rozcierając, i jeśli wyrobisz sobie odruch niedotykania własnej twarzy, szyi i dekoltu.

Jeśli jednak mimo przestrzegania tych dwóch zasad potrzebujesz poprawki makijażu, to pamiętaj, że nakładanie kolejnych warstw kosmetyku nie jest najlepszym rozwiązaniem i zwykle daje efekt odwrotny do oczekiwanego. A przecież żadna z nas nie chce być jak ciasto ze zbyt dużą warstwą cukru pudru na wierzchu…

Jeśli więc musisz na przykład zmatowić skórę, nie nakładaj kolejnej warstwy pudru, tylko przyłóż do twarzy chusteczkę matującą, żeby zebrać nadmiar sebum (w wersji awaryjnej może to być po prostu pojedyncza

warstwa zwykłej chusteczki higienicznej). Wtedy nie dokładasz, ale zdejmujesz – usuwasz nadmiar tego, co jest na twarzy zbędne i powoduje nieestetyczny połysk. Dopiero po tej operacji możesz nałożyć cieniutką warstwę pudru matującego – ale zrób to tylko wtedy, kiedy naprawdę nie ma innego wyjścia.

8 Trwałość koloru na ustach

Pomadka lubi zmieniać się w małą uciekinierkę, każda z nas zapewne dobrze o tym wie… Najprostszym sposobem na utrzymanie jej w ryzach jest nałożenie kosmetyku na usta w możliwie małej ilości. Jeśli ci się to nie uda – co jest częste przy aplikacji bezpośrednio z opakowania – warto odcisnąć nadmiar chusteczką higieniczną. W wielu poradnikach można przeczytać taką instrukcję: umaluj usta, odciśnij pomadkę na chusteczce i ponów aplikację. Moim zdaniem nie ma to sensu – wystarczy pojedyncze umalowanie ust i delikatne odciśnięcie nadmiaru kosmetyku. Co ważne, mówiąc o odciskaniu, nie mam na myśli ścierania z ust trzech czwartych pomadki. Nie chcesz przecież jej zetrzeć, tylko pozbyć się nadmiaru.

Warto też wiedzieć, że sam rodzaj pomadki wpływa na jej trwałość: produkty matowe i półmatowe zawsze będą bardziej trwałe, ponieważ są bardziej suche.

> **N**ajczęściej pomadka wylewa się poza kontur warg w kącikach ust. Dlatego malując się, lepiej nie nakładać kosmetyku w samych kącikach, tylko minimalną ilość pomadki nanieść przy ich granicy.

9 Fixer, czyli wyższa szkoła jazdy

Fixery to produkty w sprayu, od dawna stosowane głównie przez profesjonalistów, przeznaczone wyłącznie do utrwalania makijażu. Fixerem spryskuje się już gotowy makijaż, tworząc solidne zabezpieczenie dla arcydzieła na twojej twarzy.

Nie jest to jednak produkt dla każdego i nie nadaje się na każdą okazję. Ma swoje wady: możemy go czuć (daje nieprzyjemny efekt ściągnięcia skóry), podkreśla naturalne, malutkie włoski, które każda z nas ma na twarzy i które na co dzień są niewidoczne, a przede wszystkim – niesamowicie wysusza skórę. Warto też mieć świadomość, że kiedy niechcący zetrzemy fragment makijażu utrwalonego fixerem, może powstać solidny ubytek, który będzie trudniej zamaskować niż w przypadku zwykłego makijażu.

Jeśli więc decydujesz się na fixer, stosuj go tylko na wyjątkowe okazje, kiedy zależy ci na większej niż zwykle trwałości makijażu. Ważne jest też to, żeby przed zastosowaniem danego fixera najpierw go przetestować i sprawdzić, jak się w nim czujesz – czy nie powoduje podrażnień i czy nie odczuwasz dyskomfortu po jego użyciu.

10 Jeśli wszystko zawiedzie – zmień produkt

Po prostu. Może zdarzyć się tak, że kosmetyk, którego używasz, zwyczajnie ci nie służy, a jego formuła nie sprawdza się na twojej skórze. Warto wtedy z niego zrezygnować i wypróbować inny – może okazać się znacznie skuteczniejszy.

Teraz, kiedy już wiesz, co zrobić, żeby twój makijaż pozostał na swoim miejscu przez cały dzień, zastanów się, jakich kosmetyków użyć do jego wykonania! Tematem kolejnego rozdziału jest dobór podkładu – przekonasz się, że to wcale nie takie trudne.

Oto moje filmy poświęcone różnym zagadnieniom związanym z utrwalaniem makijażu.
Obejrzyj je, jeśli chcesz poszerzyć swoją wiedze

Jak uniknąć makijażowej katastrofy na twarzy?

http://www.redlipstickmonster.pl/tajniki/jak-uniknac-katastrofy.html

Jak zrobić trwały makijaż na sylwestra/imprezę?

http://www.redlipstickmonster.pl/tajniki/makijaz-na-sylwestra.html

Jak odróżnić *fixer, setting spray* i mgiełkę?

http://www.redlipstickmonster.pl/tajniki/fixer-setting-spray-mgielka.html

7 sposobów na poprawę trwałości podkładu

http://www.redlipstickmonster.pl/tajniki/trwalosc-podkladu.html

Jak przedłużyć trwałość cieni na powiekach?

http://www.redlipstickmonster.pl/tajniki/trwalosc-cieni.html

Dobór podkładu...
czyli najczęstsza przyczyna bólu głowy

Wybór podkładu idealnego

Podkład to kosmetyk, na którego dobranie poświęcamy zdecydowanie najwięcej czasu. Aby idealnie sprawdzał się na naszej skórze, musi spełnić wiele warunków. Swojego pierwszego ulubieńca szukałam dobre dwa lata, a moja jasna karnacja wcale mi tego nie ułatwiała.

Przodujące marki kosmetyczne mają najczęściej w swoim asortymencie kilka linii podkładów, co może przyprawić każdego co najmniej o ból głowy. Jak znaleźć ten właściwy?

Teraz wiem, że wybór nie jest wcale taki trudny i chciałabym, żebyś sama się o tym przekonała. W tym rozdziale zebrałam wskazówki dotyczące dobrania idealnego podkładu, które pomogły już niejednej kobiecie.

Dlaczego właśnie podkład?

Podkład to kosmetyk niezbędny, stanowi podstawę makijażu. Mam wrażenie, że wiele kobiet przypisuje mu właściwości bazy pod makijaż. To błąd – podkład nie pomoże w wyrównaniu struktury skóry! Jego głównym zadaniem jest ujednolicenie kolorytu. Oznacza to, że nie wypełni zmarszczek i nie zamaskuje rozszerzonych porów. Za to wyrówna koloryt skóry, dzięki czemu będzie wyglądała na zdrową, świeżą i promienną. Do pewnego stopnia będzie też w stanie zatuszować niedoskonałości, na przykład rumień czy krostki, ale tylko pod względem ich barwy. Dobrze dobrany i umiejętnie rozprowadzony podkład powinien być niewidoczny i niewyczuwalny.

Cztery powody,
dla których podkład wygląda źle

Istnieje kilka przyczyn tego, że podkład nie najlepiej wygląda na twarzy. Nie zawsze są to błędy osoby, która go nakłada.

Główne przyczyny złego wyglądu podkładu na skórze:

— nie jest dobrze dobrany do typu i potrzeb cery;

— źle reaguje w zetknięciu z innymi kosmetykami (najczęściej problem stanowią baza i krem);

— jest nieprawidłowo aplikowany (częstym błędem jest na przykład rozsmarowywanie podkładu – powstają wtedy smugi i plamy, a pokrycie twarzy jest nierównomierne);

— nie współgra ze skórą osoby, która go używa – tak też bywa.

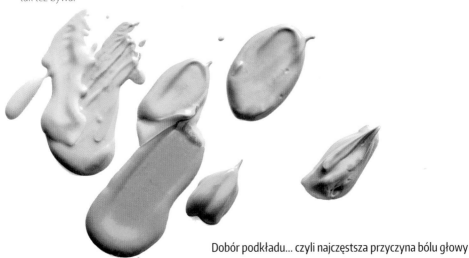

Dwie główne
cechy podkładu

Aby wybrać idealny podkład, musisz skupić się na jego właściwościach fizycznych oraz kolorze. To najważniejsze cechy tego kosmetyku.

Właściwości podkładu – czyli sposób działania na skórę oraz efekt, jaki daje jego stosowanie – muszą odpowiadać potrzebom twojej cery, a więc na przykład nawilżać ją lub łagodzić uczucie ściągnięcia w ciągu dnia. Powinny również zapewnić pożądany przez ciebie efekt, na przykład skóry połyskującej, matowej lub półmatowej.

Kolor kosmetyku musi być natomiast idealnie dobrany do naturalnego koloru twojej cery. Chcę jeszcze raz to podkreślić: celem stosowania podkładu jest wyrównanie kolorytu. Dlatego kolor podkładu nie może odbiegać od barwy skóry nie tyle twarzy, co raczej dekoltu i ramion. Najkrócej mówiąc: nasza twarz ma pasować kolorem do tułowia.

Te dwie cechy muszą się uzupełniać – nigdy nie zadowoli cię kosmetyk, który sprawdza się tylko pod względem właściwości fizycznych albo tylko kolorystycznie.

podkład

właściwości fizyczne

kolor

Sztyft, kompakt czy mus?

Do wyboru masz różne formuły podkładu. Sypki, w musie, w sztyfcie, w kompakcie czy w płynie? A może krem tonujący, BB lub CC? Jak dobrze wybrać i nie zwariować? Najpierw skoncentrujmy się na… stanie skupienia podkładu. Wpływa on na właściwości produktu, a także na to, jak będziesz się czuła, mając go na skórze. Konsystencja podkładu powinna też odpowiadać twoim preferencjom dotyczącym efektu wykończenia makijażu.

1 Podkłady pudrowe mineralne

Tego rodzaju kosmetyki są zazwyczaj w pełni mineralne (a przynajmniej powinny takie być…). Można je łatwo odróżnić od reszty sypkich podkładów, ponieważ mają bardzo prosty skład, zazwyczaj zawierają cztery do pięciu składników. Wadą podkładów mineralnych jest to, że są trudniej dostępne – bardzo rzadko można je kupić w drogeriach. Ich aplikacji trzeba się nauczyć, ale kiedy już ją opanujesz, będziesz nakładać podkład w pudrze znacznie szybciej niż ten w płynie czy w musie.

Polecam ten rodzaj podkładu posiadaczkom niemal wszystkich typów cery, z wyjątkiem skrajnie suchej lub mocno przetłuszczającej się. Wielkim atutem kosmetyków mineralnych jest to, że zazwyczaj nie zawierają substancji konserwujących i zapachowych, dzięki czemu nadają się idealnie dla skóry alergicznej i ze skłonnością do podrażnień.

Krycie w przypadku podkładów mineralnych bardzo łatwo stopniować, nakładając od jednej do trzech cienkich warstw produktu. Najpierw nabieramy go

mineralny jest naprawdę w pełni
mineralny, nawet jeśli tak napisano na
opakowaniu. Chcąc kupić prawdziwy
podkład mineralny, trzeba uważać na
słowo wytrych, jakim jest „domieszka".
Często kosmetyk uchodzący za mineralny
zawiera jedynie odrobinę odpowiednich
składników, ale to pozwala producentom
nazwać go „mineralnym" – a nas wpuścić
w zakupowe maliny.

na duży, puchaty pędzel, potem stukamy trzonkiem pędzla o twardą powierzchnię (pionowo, włosiem do góry), na przykład o blat stołu, żeby podkład osiadł we włosiu. Następnie kolistymi ruchami nakładamy kosmetyk, wmasowując go w skórę. Może się wydawać, że nakładanie podkładu mineralnego to skomplikowany i czasochłonny rytuał, kiedy jednak opanuje się tę technikę, okazuje się ona banalna. Co ciekawe, podkład w pudrze nakłada się inną metodą niż resztę podkładów – pozostałe typy aplikujemy na twarz, stemplując, niejako wciskając kosmetyk w skórę. Ale o tym będzie jeszcze mowa w tym rozdziale.

2 Podkłady w musie

Świetnie sprawdzają się w przypadku skór tłustych i mieszanych. Są też bardzo łatwe w aplikacji, ponieważ zachowują się jak delikatna, satynowa pianka. Dzięki temu rozprowadzają się gładko, subtelnie wyrównując koloryt skóry. Podkłady w musie można łatwo rozsmarować palcami, ale dla lepszego efektu lepiej je stemplować lub wklepywać.

3 Sztyfty i kompakty

Te produkty nie są jednorodną grupą, ale mają pewne cechy wspólne. Większość z nich ma podobną formułę – zazwyczaj ciężką, kremową i mocno kryjącą. Zwykle dobrze wyglądają na skórze, jeśli są aplikowane oszczędnie – jeżeli przesadzisz z ilością kosmetyku, może być bardzo widoczny. Przy ich nakładaniu również warto stosować technikę stemplowania.

Jeśli potrzebujesz kosmetyku mocno kryjącego, nie musisz kupować silnie kryjącego podkładu w sztyfcie lub kompakcie. Bardzo dobry efekt zapewni użycie średnio kryjącego podkładu o nieco lżejszej konsystencji i połączenie go z korektorem tam, gdzie potrzebujesz coś zamaskować.

4 Podkłady w płynie

Są to produkty najpopularniejsze i najłatwiejsze w użyciu, toteż zajmują najwięcej miejsca na drogeryjnych półkach. Podkłady w płynie mają różne właściwości, dzięki czemu nadają się do skóry każdego typu – od suchej, przez normalną i mieszaną, aż do

tłustej. Są stosunkowo łatwe w aplikacji, poza tym znajdziemy w tej grupie produkty zarówno o lekkim czy średnim, jak i o całkiem silnym kryciu. Podkłady w płynie również nakładamy metodą stemplowania.

Istnieją jeszcze kremy tonujące, BB i CC – ale nie są one podkładami. Wspominam o nich, bo są obecnie bardzo popularne i łatwo je kupić w większości drogerii. Zazwyczaj stanowią połączenie kremu nawilżającego ze średnio lub słabo kryjącym podkładem. Mają za zadanie jednocześnie pielęgnować naszą skórę i wyrównywać jej koloryt. Są dobrym wyborem, jeśli twoja cera jest w dobrym stanie i potrzebujesz subtelnego efektu. Warto też zaznaczyć, że kremy BB i CC dostępne na europejskim rynku nie są tym samym typem produktów, co kremy BB i CC wyprodukowane w krajach azjatyckich, gdzie narodził się pomysł na tego rodzaju kosmetyki.

Jak wybrać
podkład –
krok po kroku

Formuła i odcień podkładu to nie
wszystko, zwłaszcza że obecnie pro-
ducenci są w stanie stworzyć kosmetyk o standardowej formie, ale nie-
typowych właściwościach. Na szczęście nie tak trudno odnaleźć się
w tym gąszczu możliwości, bo podkłady zawsze będziesz testować
dokładnie w ten sam sposób.

Warto brać pod uwagę informacje zawarte na etykietach produktów i podpowiadające, do jakiego typu skóry jest przeznaczony dany kosmetyk. Zwykle nie musisz jednak kurczowo trzymać się zaleceń producenta – niech będą raczej sugestią niż nakazem. Kieruj się nimi, jeśli posiadasz skrajny typ skóry, na przykład bardzo suchą, wręcz łuszczącą się, albo mocno się przetłuszczającą.

Uważam, że nie należy sugerować się opiniami innych użytkowniczek danego podkładu. Dobranie tego typu kosmetyku to bardzo indywidualna sprawa. O ile na przykład można stwierdzić na podstawie cudzych opinii, które pomadki są bardziej trwałe i przyjemne w użytkowaniu, o tyle w odniesieniu do podkładu takiej zależności nie ma. Wszystko zależy od typu twojej skóry oraz osobistych preferencji. Niektóre osoby lubią bardzo trwałe, lepkie formuły podkładów, inne – delikatny blask i subtelne

wyrównanie koloru. Ile osób, tyle opinii. Ty i twoja koleżanka możecie mieć teoretycznie ten sam typ cery, ale w praktyce zwykle okazuje się, że macie nieco inne potrzeby i oczekiwania. Może zależeć ci na innym efekcie niż twojej koleżance i jeśli ona woli wykończenie matowe, a ty lekko błyszczące, to nie będziesz zadowolona z produktu, który ci poleca i który u niej świetnie się sprawdza.

Jedynym pewnym sposobem na idealne dobranie zarówno formuły, jak i koloru podkładu jest samodzielne testowanie produktu. To wcale nie takie trudne, ale żeby zakończyło się sukcesem, należy przestrzegać kilku reguł.

Testowanie podkładu można podzielić na dwa etapy:
— etap pierwszy – drogeria,
— etap drugi – dom.

Etap pierwszy wymaga spaceru do drogerii, gdzie półki uginają się od próbek i testerów produktów w różnych formułach i kolorach. Twoim zadaniem w tym miejscu jest podjęcie wstępnej decyzji dotyczącej koloru podkładu i zdobycie próbek produktów, które cię zainteresowały.

Jeśli chcesz przetestować kilka podkładów w domu, poproś w drogerii o pojemniczki na próbki. Oferuje je coraz więcej sklepów. Jeśli jednak twoja drogeria takimi nie dysponuje, to zapytaj, czy możesz wziąć kropelkę podkładu do własnego pojemniczka. Polecam kupno małych, plastikowych słoiczków o pojemności 5 ml – są poręczne, tanie i ułatwią ci znalezienie podkładu idealnego.

Wybierając kolor nowego produktu, dobrze jest porównać go do czegoś, co już znamy. Jeśli masz już sprawdzony podkład, nawet niedoskonały, weź go do drogerii na pierwszy etap testów. Mimo że nie jest perfekcyjny, i tak ułatwi znalezienie ideału. Wtedy zostanie już tylko dobranie formuły i wykończenia produktu.

Ostatnim miejscem, do którego powinnaś dopasowywać kolor podkładu, jest twoja dłoń. To nie ma sensu – przecież nikt nie nosi podkładu na dłoniach! Poza tym skóra dłoni różni się kolorem nie tylko od skóry twarzy, ale nawet od reszty ciała. Dłonie przydadzą się na kolejnym etapie dobierania podkładu.

Etap drugi testów przeprowadź w domu. I tutaj właśnie przydadzą się twoje dłonie: nałóż na nie kilka próbek, po czym stań przed lustrem i w świetle dziennym przyłóż dłoń do dekoltu, ramion, szyi. W tym momencie zwracaj uwagę zarówno na walor koloru, jak i jego ton. Zdecyduj, czy kolor nie jest zbyt ciemny albo zbyt jasny (to właśnie jest walor koloru) oraz czy nie jest przesadnie żółty, pomarańczowy, różowy, zielony czy szary (to ton koloru). Światło dzienne, z którego dobrodziejstw możesz korzystać, stojąc w domu przed oknem, pozwoli ci zobaczyć prawdziwy kolor kosmetyku, w przeciwieństwie do sztucznego oświetlenia w drogerii.

Ale to nie wszystko, jeszcze nie czas na przerwę. Teraz weź trzy najlepiej pasujące podkłady i każdym z nich narysuj linię biegnącą od policzka, przez żuchwę i szyję, aż do dekoltu (dla ułatwienia pokazałam to na zdjęciu).

Po co te barwy wojenne? Odpowiedź jest prosta – w ten sposób testujesz podkład nie tylko na twarzy, ale też na dekolcie i szyi. Pamiętaj, że kolor twarzy ma być wyrównany do koloru ciała.

To normalne, że skóra na twarzy jest nieco jaśniejsza lub minimalnie bardziej różowa niż reszta ciała. Nie dobiera się jednak koloru do cery, ale do odcienia skóry dekoltu, ramion i szyi – to w tych miejscach podkład ma niezauważalnie ginąć i stawać się niewidoczny. Nie odcinaj sobie kolorem głowy od reszty ciała! To bardzo częsty błąd. Kiedyś sama myślałam, że jeśli moja cera łatwo się czerwieni i mam różowe policzki, to powinnam wybrać podkład właśnie z różowymi tonami. Kompletna pomyłka!

Wybierając ton koloru, dopasuj go do swojego typu urody, do tonu swojej skóry. Może on być:
— różowy (zimny),
— żółty (ciepły),
— oliwkowy (bywa ciepły lub zimny),
— neutralny (skóra ma zarówno tony ciepłe, jak i zimne).

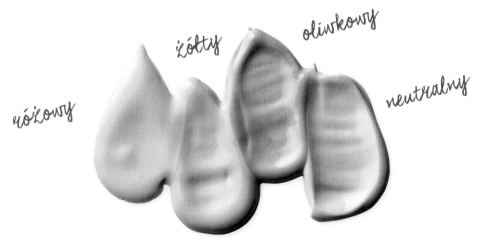

Warto wiedzieć, jaki ton skóry się posiada. To ułatwia dobór nie tylko podkładu i korektora, ale także koloru włosów i ubrań. Chciałabym, aby istniała prosta recepta, umożliwiająca każdej kobiecie prawidłowe rozpoznanie tonu swojej skóry. Niestety, nie jest to takie proste.

Z doświadczenia wiem, że najłatwiej określić własną kolorystykę poprzez porównywanie z tonami skóry innych osób. Jak to wygląda w praktyce? Przede wszystkim potrzebujesz towarzystwa kilku koleżanek, a także światła dziennego, dużego lusterka i wolnych pięciu minut. Wystarczy, że ustawicie się obok siebie i porównacie kolor ramion i dekoltów (nie zwracajcie uwagi na twarze!). Różnice będą od razu widoczne

i łatwe do określenia. Na marginesie tylko wspomnę, że wśród Polek najczęściej występują tony lekko ciepłe z zabarwieniem żółtym, a na drugim miejscu plasują się tony neutralne i różowe. Karnacja z tonami oliwkowymi jest najrzadsza.

Kiedy już wiesz, jaki produkt jest dla ciebie najbardziej odpowiedni kolorystycznie, sprawdź, czy polubi go twoja skóra. Musisz wiedzieć, jak podkład zachowuje się przez cały dzień, więc nałóż go rano, a potem obserwuj, co się dzieje na twojej twarzy. Niestety, może się wydarzyć wiele złego, dlatego sprawdź:

— czy podkład nie zmienia koloru w ciągu dnia? Czy się nie utlenia?
— czy jego trwałość jest zadowalająca?

ton ciepły, żółty

ton neutralny, mieszany

ton ciepły, oliwkowy

Jeśli masz już podkład, który jest produktem idealnym pod każdym względem oprócz koloru, możesz zmodyfikować jego odcień, nie zmieniając przy tym jego właściwości. Na stronach internetowych oferujących półprodukty do własnoręcznego wyrobu kosmetyków znajdziesz pigmenty, które są stworzone właśnie do tego celu. I tak, błękit ultramarynowy ochłodzi kolor twojego podkładu, a czerwień żelazowa go ociepli. Żółcień żelazowa podbije tony żółte, z kolei zieleń chromowa będzie idealna do cer oliwkowych. Pamiętaj, że takie pigmenty należy dodawać w niemal mikroskopijnych ilościach!

— czy na jego właściwości nie wpływają inne używane przez ciebie kosmetyki (krem, baza, puder utrwalający)?

— czy noszenie go jest komfortowe? Czy czujesz podkład na twarzy (masz uczucie ściągnięcia lub swędzi cię skóra), czy też możesz o nim zapomnieć?

Po całodziennym teście wybierz faworyta. Teraz możesz mieć pewność, że znalazłaś swój numer jeden.

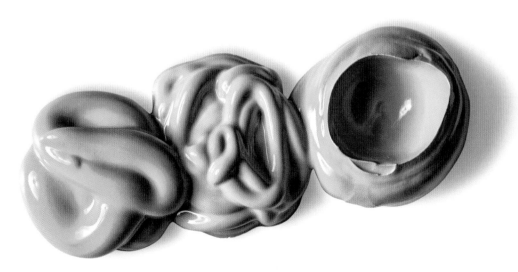

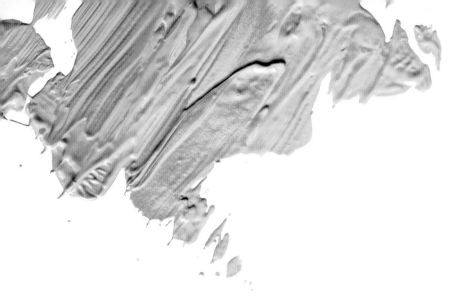

Aplikacja podkładu

Kiedy znalazłaś już podkład idealny, zastanów się, jak najlepiej go nałożyć. Można to zrobić na różne sposoby. Do najbardziej popularnych zaliczamy aplikację:

— pędzlem,
— gąbką,
— palcami.

Czas teraz na kilka słów o różnicach w aplikacji podkładu za pomocą każdej z tych metod. Niezależnie od tego, na którą się zdecydujesz, najważniejszym ruchem jest dobrze ci już znane z poprzednich rozdziałów stemplowanie/wklepywanie.

Pamiętaj, zawsze liczą się technika i staranność. Każda metoda stosowana niechlujnie pozostawi smugi lub plamy. A przy nieodpowiedniej technice nawet doskonałe narzędzie nie uratuje sytuacji.

Pędzel i gąbkę przed użyciem należy zmoczyć, a potem odcisnąć (nie mogą ociekać wodą!). Są wtedy wygodniejsze w użyciu i delikatniejsze w kontakcie ze skórą. Poza tym nie wchłaniają zbyt dużej ilości kosmetyku. Nigdy też nie aplikujemy produktu bezpośrednio na pędzel czy gąbkę, tylko najpierw nakładamy niewielką jego ilość na górną część dłoni. Zapobiegnie to szybkiemu niszczeniu się narzędzi i pozwoli nam bardziej równomiernie i szybciej rozprowadzić kosmetyk.

Pędzel i gąbka lepiej sprawdzą się u osób, których skóra nie jest idealnie gładka, dlatego że rozprowadzają kosmetyk dokładniej niż palce. Jak już zaznaczyłam, nigdy nie zmienimy struktury i faktury skóry, ale podkład rozprowadzony odpowiednim narzędziem optycznie wygładzi powierzchnię cery dzięki perfekcyjnemu wyrównaniu jej koloru.

Z kolei używając palców, możemy być pewne, że nie marnujemy ani odrobinki produktu, który w pewnym stopniu jest absorbowany przez pędzel czy gąbkę. Nakładanie podkładu palcami jest też szybsze i nie wymaga żadnych dodatkowych przygotowań,

Wszystkie produkty sypkie nakładamy po mokrych. Jeśli mamy na przykład kosmetyki do konturowania albo róże w kremie, to nakładamy je przed pudrem. A jeśli róż ma konsystencję sypką, niekremową – wtedy nakładamy go po pudrze. Więcej informacji na ten temat znajdziesz w rozdziale poświęconym utrwalaniu makijażu (s. 35).

poza wcześniejszym umyciem rąk. Minusami są mniejsza dokładność i ryzyko nałożenia kosmetyku mniej równomiernie.

Uwaga! Nigdy nie nakładaj podkładu pod oczy, ponieważ jest to kosmetyk zbyt ciężki. Może podkreślić zmarszczki, sprzyjać ich powstawaniu i nadać twarzy zmęczony wygląd. Pod oczy używaj wyłącznie korektora. Jeśli chodzi o kolejność aplikowania produktów, to jako pierwszy – lub jako drugi zaraz po bazie – powinien zostać nałożony podkład. Dopiero potem użyj korektora, tuszując nim krostki, przebarwienia czy cienie pod oczami. Właśnie ta metoda pozwoli na mniejsze zużycie kosmetyków i szybsze osiągnięcie pożądanego efektu. Na sam koniec, jeśli masz ochotę i potrzebę, utrwal makijaż sypkim pudrem.

O korektorach można powiedzieć jeszcze bardzo dużo, dlatego poświęcam im cały następny rozdział. I tam się widzimy, do poczytania!

Oto moje filmy poświęcone różnym zagadnieniom związanym z podkładami.
Obejrzyj je, jeśli chcesz poszerzyć swoją wiedzę.

Jak dobrać podkład?
http://www.redlipstickmonster.pl/tajniki/jak-dobrac-podklad.html

Trzy sposoby nakładania podkładu
http://www.redlipstickmonster.pl/tajniki/nakladanie-podkladu.html

Wszystko, co warto wiedzieć o podkładach mineralnych
http://www.redlipstickmonster.pl/tajniki/podklady-mineralne.html

Podkłady dla bladej i jasnej karnacji
http://www.redlipstickmonster.pl/tajniki/podklady-dla-jasnej-karnacji.html

Nieprzyjaciele
pięknej skóry

Korektor a podkład

Najwięksi wrogowie w walce o piękną i zdrowo wyglądającą cerę to: rumień, blizna, krosta i przebarwienia pod oczami. Rujnują wszystko i nie ma nic bardziej irytującego niż perfekcyjnie wykonany makijaż, spod którego przebija jedno z nich.

Opowiem teraz, jak wygrać z nimi wojnę o nieskazitelny wygląd, zaczynając od informacji dotyczących kolejności aplikowania produktów. Rozdział ten nieprzypadkowo zamieszczam już po omówieniu zagadnień dotyczących podkładu, ponieważ z doświadczenia wiem, że nakładanie korektora jest najefektywniejsze właśnie wtedy, kiedy mamy już nałożony podkład.

Jeśli na przykład idealnie przykryjemy krostę korektorem, a następnie nałożymy podkład, to przy okazji na pewno zetrzemy część korektora z tego miejsca. I co wtedy? Dokładać produkt korygujący i ryzykować zrobienie zbyt grubej (a przez to nieestetycznej) warstwy makijażu?

Odwróćmy w takim razie kolejność i nałóżmy najpierw podkład, a dopiero potem korektor. Wtedy, po pierwsze, nasi wrogowie są już częściowo przykryci, więc pełne zamaskowanie ich korektorem nie będzie wymagało użycia dużej ilości produktu, a po drugie, poświęcimy na te czynności mniej czasu, bo nie będziemy musiały już nic poprawiać.

W tym miejscu warto poruszyć jeszcze jedną ważną kwestię – problem stosowania korektora bez podkładu. Często zdarza się, że ktoś uważa korektor za jeden z niezbędnych kosmetyków (bo mała i przykra niespodzianka w postaci krosty może się zdarzyć każdemu), ale podkładu już tak nie ceni. Jeśli należysz do grupy kobiet nieużywających podkładu, proponuję, żebyś spróbowała użyć go choć raz. Może się to okazać świetnym rozwiązaniem, zwłaszcza jeśli korektor, którego używasz, jest mocno kryjący. Kosmetyki tego typu, zwłaszcza te cięższe i bardziej kryjące, mogą wyraźnie odcinać się od tych partii skóry, na które nie zostały naniesione. A przecież każda z nas wie, że korektor nie powinien być widoczny. Co z tego, że ukryłaś krostę i już jej nie widać, skoro… widać korektor? To żadne zwycięstwo w małej walce o skórę idealną. Użycie podkładu ułatwi ujednolicenie koloru miejsc pokrytych korektorem i reszty skóry – nic nie będzie się odznaczać.

Jeśli naprawdę bardzo nie lubisz wyglądu podkładu na swojej skórze, a mimo to chcesz, żeby korektor nie odcinał się od reszty twarzy – użyj podkładu rozrobionego z kremem nawilżającym.

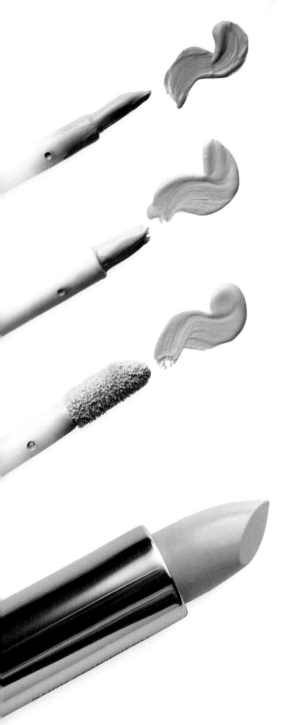

Jak wybrać,
jak używać?

Wróćmy do naszych nieprzyjaciół: rumienia, blizn i krost (które tuszuje się w podobny sposób) oraz przebarwień i worków pod oczami (które, jak za chwilę przeczytasz, koryguje się nieco inaczej i innymi produktami). Radzimy sobie z tymi dwoma grupami niedoskonałości w różny sposób, dlatego każda z nich zostanie omówiona osobno.

Zaczniemy jednak od podstaw, czyli od formuł, w jakich występują korektory. Możemy wybierać między poniższymi:

1 **Korektory w płynie** – są najczęściej spotykane. Podobnie jak w przypadku podkładów płynnych, korektory płynne pojawiają się wersjach o różnym stopniu krycia. Poziom krycia, które zapewiają, jest zadowalający dla większości kobiet, stąd uzasadniona popularność tego typu produktów. Są też bardzo uniwersalne – często pozwalają ukryć zarówno krosty, rumień i blizny, jak i zły stan skóry pod oczami.

> **M**ożesz stosować cięższe korektory w okolicach oczu, jeśli specyfika problemu wymaga naprawdę mocnego krycia. Ale uważaj, żeby nie aplikować takiego korektora pod samą powieką i nakładać go z dużą rozwagą, bardzo oszczędnie.

2 **Kamuflaże i korektory w sztyfcie** są kremowe i gęste. Zazwyczaj mają mocniejsze krycie. Używa się ich do zamaskowania problemów z pierwszej grupy, czyli krost, blizn i rumienia.

3 **Korektory wysuwane, z pędzelkiem.** Często ich główną rolą jest rozświetlanie (dlatego zawierają drobinki odbijające światło), a ich właściwości maskujące są niewielkie. Ten typ korektorów świetnie nadaje się pod oczy.

Wiemy, jaki może być korektor, ale równie ważne jest to, jaki być nie może. Nie sprawdzą się produkty:

- zbyt ciemne,
- zbyt jasne,
- zbyt ciężkie.

Aby korektor zadziałał tak jak trzeba, musimy wiedzieć, jak:

- świadomie wybrać produkt,
- odpowiednio go zaaplikować.

Idealny korektor powinien mieć taki sam kolor jak podkład lub przynajmniej być zbliżony do niego tak bardzo, jak tylko jest to możliwe. Używanie tak dobranych produktów jest najbezpieczniejsze i zwykle daje najlepsze efekty.

Korektor nie może być bardziej różowy niż podkład. Nie powinien być również od niego jaśniejszy – będzie wtedy widoczny. Wyjątkiem są okolice oczu – tutaj korektor może być nieco jaśniejszy, ale najwyżej o jeden ton. Najgorsze, co możesz zrobić, to użyć korektora o zupełnie innym odcieniu. Produkt będzie się wtedy mocno odznaczał i, niestety, zamiast

Aby szybko i łatwo dobrać odpowiedni odcień korektora do odcienia podkładu, zabierz do drogerii sprawdzony podkład i do niego dopasuj odcień korektora.

maskować – podkreślisz niedoskonałość, nadając jej tylko inny kolor.

Co zrobić, jeśli problem, który chcesz ukryć, jest naprawdę duży? Wtedy warto użyć korektora, który nie tylko zamaskuje wroga przez mocne krycie, ale również uczyni go mniej widocznym dzięki swojej barwie. Ten rodzaj korekcji polega na użyciu produktu, którego kolor znajduje się na kole barw po przeciwnej stronie koloru niedoskonałości, którą chcemy zamaskować. Wtedy jeden kolor neutralizuje drugi.

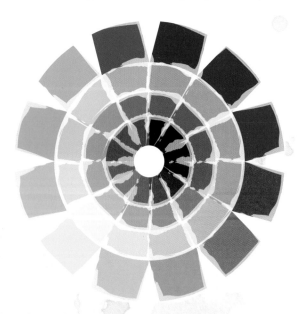

Zwróć uwagę, że rumień, blizny i krosty najczęściej są czerwonawe lub różowe. Kolorem dopełniającym dla czerwieni jest zielony, co oznacza, że do ukrycia tych niedoskonałości potrzebujesz zielonego korektora. Ale uwaga! Należy stosować go ostrożnie – tak, aby nie zmienić naszego zaczerwienienia w… zazielenienie! Jeśli nie czujesz się na tyle pewnie, aby swobodnie operować korektorem w odcieniu zielonym, zastosuj produkt o chłodnym odcieniu żółci. Też

zniweluje czerwień, a będzie bezpieczniejszy w użyciu, bo nie odcina się aż tak bardzo od naturalnego koloru naszej skóry jak zielony. Poza tym na rynku jest większy wybór żółtych korektorów niż tych zielonych, więc łatwiej je znaleźć.

Uwierz mi, wszystko staje się dużo prostsze, jeśli mamy przed sobą koło barw (zwane też kołem chromatycznym). Na przykład sińce pod oczami zwykle mają odcień zimnego fioletu, niebieskiego lub zieleni. Patrząc na te kolory, wędrujemy wzrokiem na przeciwną stronę koła barw – znajdziemy tam barwy dopełniające, które silnie z nimi kontrastują, a tym samym je neutralizują. Jeśli na siną skórę położysz korektor o odcieniu pomarańczowym, żółtopomarańczowym lub ciepłołososiowym, to uzyskasz bardzo dobry rezultat, używając niewielkiej ilości kosmetyku. Posiadając jedynie korektor w kolorze swojej skóry, musiałabyś nałożyć go znacznie więcej, żeby uzyskać podobny efekt.

Nie martw się, nie musisz niewolniczo trzymać się koła barw. Na sińce pod oczami niekoniecznie trzeba nakładać pomarańczowy korektor – w drogeriach jest spory wybór kosmetyków o odcieniu łososiowym lub brzoskwiniowym, znacznie bezpieczniejszych w użyciu niż pomarańczowe.

Ważne jest to, żeby eksperymentując z kosmetykami do makijażu, zwracać uwagę na temperaturę barw. Kiedy na przykład korygujesz chłodne kolory sińców pod oczami, powinnaś użyć w tym celu kosmetyków o barwach z przeciwnej strony koła kolorów oraz o odwrotnej temperaturze – czyli ciepłych. Niech ręce uschną tym, którzy upierają się przy korektorach zimnych i różowych!

Pamiętaj, działanie korektora polega nie tyle na przykryciu i „przyklepaniu" niedoskonałości, ile

Jeżeli nie masz pewności, jaki kolor korektora wybrać i czy rzeczywiście pomarańczowy odcień sprawdzi się pod twoimi oczami, wypróbuj następującą metodę. Dodaj do swojego dotychczasowego korektora odrobinę pomarańczowej pomadki (pamiętając, żeby była w ciepłym odcieniu!) i wypróbuj taką eksperymentalną mieszankę na twarzy. Oczywiście nie stosuj jej później na co dzień, po prostu wypróbuj ten kolor i oceń, czy taki typ korekcji jest dla ciebie odpowiedni.

dosłownie na ich korekcji. Nie ukrywamy, nie przykrywamy – ale neutralizujemy i zmieniamy.

Teraz wiemy już „co", ale nie wiemy jeszcze „jak". W jaki sposób nakładać korektor? Do wyboru masz palce lub mały puchaty pędzelek. Jeśli wybierzesz nakładanie korektora palcami, to najlepsze do tego celu będą palce środkowy lub serdeczny, zwłaszcza jeśli będziesz nimi delikatnie wklepywać kosmetyk. Gdy zależy ci na większej precyzji, nakładaj korektor małym puchatym pędzelkiem – okrągłym lub spłaszczonym (to nasz pędzel numer 1 z listy pędzli niezbędnych – zob. s. 20), również wklepując kosmetyk – to najlepsza metoda. Dzięki niej uzyskasz lepsze krycie, a także doskonałe wtopienie się produktu w skórę, bez ryzyka powstania plam.

Podczas aplikowania korektora na rumień, bliznę czy krostę, musisz nałożyć produkt tak, aby ukryć przebarwienie. Jednocześnie pamiętaj, żeby pracować palcem lub pędzelkiem w taki sposób, aby wtopić korektor w resztę makijażu. Ma być niewidoczny i zlany z resztą kosmetyków. Warstwa korektora nałożona punktowo będzie widoczna, dlatego obszar jego aplikacji musi być nieco większy niż sama zmiana.

Nakładając korektor pod oczy, warto natomiast pamiętać, żeby nie koncentrować się na dolnej powiece, lecz na miejscu, w którym różnice kolorów są najbardziej widoczne. Zwykle znajduje się ono na styku skóry policzka i delikatnej skóry okolicy oka. Warto tam namalować korektorem kreseczki

biegnące od powieki dolnej aż do policzka (są lepsze niż standardowe kropki), a potem wklepywać kosmetyk tak, aby przejście między korektorem a podkładem nie było widoczne. Im bliżej oka, tym mniej produktu powinno być na skórze.

Miej też świadomość, że powierzchnia, na którą nakładasz korektor pod oczami, jest większa niż powierzchnia wyprysku czy rumienia, dlatego warto się zastanowić, gdzie zacząć aplikację i tym samym gdzie nałożyć najgrubszą warstwę produktu. Przede wszystkim nie zapominaj o wewnętrznym kąciku oka. Nie chodzi tutaj o skórę wyłącznie pod okiem, ale o cały wewnętrzny kącik, także obszar przy nosie. W tym miejscu często pojawia się dużo przebarwień, które dodatkowo optycznie zmniejszają

Warto pamiętać, że lepiej nałożyć mniej produktu i ewentualnie dołożyć kolejną jego warstwę, jeśli będzie to naprawdę konieczne, niż nałożyć warstwę pojedynczą, ale grubą. Skóra pod oczami odwdzięczy się nam za oszczędną aplikację naturalnym wyglądem.

Nakładając korektor w okolice oczu, zawsze rozprowadzamy kosmetyk od zewnętrznego kącika oka w stronę nosa. Ten zabieg zapobiegnie przemieszczeniu się korektora i zminimalizuje gromadzenie się kosmetyku w drobnych zmarszczkach.

rozstaw oczu. Ich zatuszowanie niweluje ten defekt, dzięki czemu oczy nie wydają się już położone zbyt blisko siebie.

Końcowy etap warto utrwalić delikatnym, drobno zmielonym pudrem sypkim. Najłatwiej będzie go wklepać delikatnym puszkiem lub średniej wielkości puchatym pędzlem. (Pamiętaj, że utrwalanie całości pudrem sypkim następuje po nałożeniu podkładu i korektora!)

I jeszcze jedna uwaga na koniec – worki pod oczami i zasinienia pod nimi to dwa zupełnie różne problemy. Mogą występować jednocześnie, ale nie są tym samym. Sińce, czyli przebarwienia okolicy oczu, wynikają z faktu, że skóra w tym miejscu jest cienka, a przez to płytko unaczyniona. Natomiast worki to

zmiany samej struktury skóry. To zagłębienia, które zwykle są odcięte w miejscu przejścia skóry twarzy w delikatną skórę pod oczami. Zarówno sińce, jak i przebarwienia są najczęściej uwarunkowane genetycznie. I tutaj mam niestety złą wiadomość dla posiadaczek worków pod oczami – żaden korektor ani inny kosmetyk nie jest w stanie ich w pełni zatuszować. Sen i zdrowe odżywianie mogą znacznie zmniejszyć widoczność worków pod oczami, ale na pewno ich nie zlikwidują. I choć makijaż nie wyrówna dużej zmiany struktury skóry, przyda się jednak korektor pod oczy. Ujednolicenie koloru tej części twarzy zapewni wrażenie wyrównania skóry wokół oczu. Dla lepszego zobrazowania tego problemu pokazałam na mojej modelce, Kasi, tuszowanie worków i zasinień w okolicy oka (zob. s. 79).

Rola korektora nie kończy się jednak na maskowaniu niedoskonałości. Może się także przydać do konturowania twarzy. O tym, jak się je wykonuje, możesz przeczytać w następnym rozdziale.

Oto moje filmy poświęcone różnym zagadnieniom związanym z korektorami. Obejrzyj je, jeśli chcesz poszerzyć swoją wiedzę.

Czerwona szminka pod oczy?
http://www.redlipstickmonster.pl/tajniki/szminka-pod-oczy.html

Tuszowanie niedoskonałości cery
(naczynka, trądzik, blizny, znamiona)
http://www.redlipstickmonster.pl/tajniki/
tuszowanie-niedoskonalosci.html

Jak tuszować cienie pod oczami?
http://www.redlipstickmonster.pl/tajniki/tuszowanie-cieni.html

Konturowanie

twarzy

modelowanie z rozjaśnieniem

Konturowanie
dla każdego

Mówi się, że konturowanie to magia, ponieważ pozwala optycznie zmienić kształt twarzy. To jedna z umiejętności, których opanowanie zajęło mi zdecydowanie najwięcej czasu. Każda twarz jest inna i każda z nas ma odmienne potrzeby – mimo to wierzę, że ten rozdział pomoże ci zrozumieć, o co chodzi w świadomym modelowaniu rysów. Na konturowanie decydujemy się zwykle przy wyjątkowych okazjach, bo na co dzień z reguły nie mamy na to czasu. Przy szybkim makijażu dziennym zwykle jednak wykorzystujemy róż, którego funkcją jest nadanie koloru, ożywienie i odmłodzenie. Kosmetyk ten pośrednio modeluje także nasze policzki, zwłaszcza kiedy zawiera rozświetlające drobinki. Podobną funkcję na powiekach pełnią cienie. Jak widzisz, konturowanie nie jest tak egzotyczną sztuką, jak mogłoby się wydawać i jego elementy często stosujesz nieświadomie w codziennym makijażu.

O co w tym
wszystkim chodzi?

Kiedyś do konturowania używano tylko dwóch produktów: przyciemniającego skórę i rozświetlającego ją. Dzisiaj możemy dodać trzeci rodzaj kosmetyku – produkt jedynie rozjaśniający. Od kilku lat konturowanie kosmetykiem rozjaśniającym stosuje się z coraz większym powodzeniem. Od klasycznego konturowania różni się tym, że użyte produkty nie zawierają rozświetlających drobinek, co daje nieco inny efekt.

Decyzja o tym, jaki rodzaj konturowania wybierzesz, zależy od twoich preferencji, od tego, jakie wykończenie makijażu najbardziej ci się podoba.

Rozjaśnianie zapewni bardziej naturalny efekt, rozświetlanie natomiast świetnie sprawdzi się w makijażu wieczorowym (choć oczywiście nie tylko). W obu przypadkach pamiętaj: modelowanie musi być niewidoczne. Modelując twarz, nieco zmieniasz optycznie jej rysy... więc warto się postarać, żeby to oszustwo uszło ci płazem.

Konturowanie wykorzystuje właściwości światła, które pada na twoją twarz. To, co przyciemnione, chowa się, a to, co jaśniejsze lub rozświetlone, staje się bardziej widoczne.

Jakie kosmetyki będą potrzebne do konturowania? Mogą to być produkty przeznaczone specjalnie do tego celu, ale świetnie sprawdzi się też zwykły korektor – a nawet podkład. Cokolwiek jednak wybierzesz, musi spełnić pewne warunki, które opisuję w dalszej części tego rozdziału.

Jak wybrać produkt do przyciemniania?

Ten kosmetyk zawsze jest stały – nie zmienia się, bez względu na to, czy później będziesz skórę rozjaśniać

czy rozświetlać. W obu typach makijażu użyjesz tego samego produktu do przyciemniania.

Może to być kosmetyk suchy lub mokry, w zależności od twoich upodobań. Zaletą mokrego produktu jest jego trwałość i mniejsze ryzyko migracji w ciągu dnia. Pamiętaj tylko, że jeśli zdecydujesz się na mokry kosmetyk, to należy nałożyć go przed utrwaleniem makijażu pudrem, jeśli natomiast wybierzesz suchy produkt – po utrwaleniu.

Bez względu na to, jaki rodzaj produktu wybierzesz, musi on być matowy – żadnych błyszczących drobinek! Należy zwrócić na to szczególną uwagę, ponieważ bardzo często różne marki wypuszczają na rynek na przykład bronzery ze złocistymi drobinkami i o ciepłym odcieniu. Służą one do ocieplenia kolorytu skóry i uzyskania efektu sztucznej opalenizny, a nie do modelowania rysów twarzy.

Odcień produktu do przyciemniania może być neutralny lub zimny – ale nigdy ciepły! Naturalny cień, który rzucają elementy twarzy, gdy pada na nią światło, zawsze ma zimny kolor. Jeśli więc sztuczny

Najlepszym mokrym produktem do przyciemniania jest po prostu… zbyt ciemny podkład lub korektor. Dobrze sprawdzą się zwłaszcza kosmetyki o konsystencji musu, ze względu na łatwość ich rozprowadzania.

cień, który nanosisz na twarz podczas konturowania, będzie w ciepłym odcieniu, magiczna sztuczka makijażowa po prostu się nie uda.

Aby pomóc ci w odróżnieniu ciepłych i zimnych odcieni, przygotowałam próbki kosmetyków o różnych tonach.

Jak wybrać produkt do rozjaśniania?

Do wyboru jest mnóstwo kosmetyków. Może to być na przykład o ton jaśniejszy korektor, podkład lub puder – polecam przede wszystkim korektor, który możesz nałożyć również w okolicach oczu, podczas gdy podkład mógłby w tym miejscu okazać się zbyt ciężki.

Odcień kosmetyku powinien być zbliżony do naturalnego odcienia twojej skóry. Możesz użyć zarówno suchego produktu, jak i mokrego, ale pamiętaj, że suche kosmetyki tego typu nakłada się znacznie trudniej.

Jak wybrać produkt do rozświetlania?

Jeśli chodzi o walor koloru, to kosmetyk do rozświetlania nie powinien być ani za jasny, ani za ciemny w stosunku do twojej skóry.

Do przyciemniania i rozjaśniania
twarzy lepiej zastosować kosmetyki
o konsystencji płynnej lub kremowej,
a do rozświetlania – kosmetyki suche.

Powinien to być produkt z niezauważalnie
małymi drobinkami odbijającymi światło – dlatego
uwaga – zero brokatu! Zależy ci przecież na efekcie
zdrowego blasku rozświetlonej skóry, a nie upodob-
nieniu się do pokrytej brokatem bombki choinko-
wej. Idealnie byłoby, gdyby produkt rozświetlający
miał tony podobne do odcienia twojej skóry – czyli
ani zbyt ciepłe, ani zbyt zimne. Jeśli użyjesz produktu
o zbyt ciepłym kolorze, rozświetlenie może się wydawać żółtawe, a jeśli użyjesz produktu o zbyt zimnym
odcieniu – różowawe, mroźne. W obu przypadkach
będzie się rzucało w oczy samo w sobie, zamiast dys-
kretnie podkreślać twoje rysy. Żeby lepiej zrozumieć
te zależności, spójrz na zestawienie, które przygotowałam.

Produkty do rozjaśniania i rozświetlania również mogą być suche lub kremowe, a kolejność ich
nakładania jak zwykle zależy od rodzaju i konsystencji kosmetyku. Suche nakładamy podczas wykańcza-
nia makijażu, a mokre na podkład i na korektor – ale
przed pudrem. Warto zaznaczyć, że kosmetyki kremowe nakłada się znacznie trudniej niż suche. Przez
to możesz mieć problem z równomiernym ich roz-
prowadzeniem, a w razie jakiegokolwiek uszkodzenia
makijażu, gdy jakaś jego część zostaje starta, pocią-
gną za sobą także podkład i korektor.

Co i jak?

Zanim opowiem, jak i czym konturować twarz, chcę ci przypomnieć o kilku ważnych rzeczach:

— po pierwsze, niezależnie od tego, czy konturujesz przy użyciu kosmetyków rozjaśniających czy rozświetlających, najpierw użyj produktu przyciemniającego;

— rozjaśnianie i rozświetlanie to nie to samo – rozświetlanie uwypukla ze względu na blask, a rozjaśnianie ze względu na kolor; wbrew pozorom to znacząca różnica;

— podczas konturowania źródło światła musi znajdować się idealnie na wprost twojej twarzy, inaczej pojawią się dodatkowe cienie i nie uda ci się wymodelować jej symetrycznie;

— nie trzeba konturować całej twarzy – można zająć się tylko jej określoną częścią.

Do modelowania twarzy będą ci potrzebne przede wszystkim puchate pędzle z lekkim szpicem. Mały do modelowania precyzyjnego (na przykład nosa czy okolic oczu) – czyli pędzel numer 1 z listy obowiązkowych, opisanych w rozdziale pierwszym (zob. s. 20), oraz duży do reszty twarzy – to pędzel z listy nieobowiązkowych, wymieniony na niej jako pędzel do konturowania (zob. s. 28). Niezależnie od tego, czy wybierzesz kosmetyki mokre czy suche, będziesz potrzebować tych samych pędzli.

Konkrety

Makijażyści zwykle modelują całą twarz. Ja patrzę na tę kwestię nieco inaczej. Każda z nas jest w stanie ocenić, co wymaga drobnego udoskonalenia. Sądzę, że wystarczy skorygować tylko te elementy – nie trzeba zawsze konturować całej twarzy. Nie jestem zwolenniczką dążenia do z góry narzuconych, „idealnych" rysów. Lepiej podkreślać to, co w nas najlepsze, niż wpatrywać się w sztucznie wykreowane schematy, usiłując je odwzorować.

Poniżej opisuję szczegółowo, jak konturować poszczególne części twarzy.

1 Policzki

Zazwyczaj kobiety chcą, żeby ich policzki były szczupłe i podkreślone – w tym celu używają na przykład różu. Tak, tak – stosowanie różu to konturowanie; wiele kobiet wykonuje je na co dzień, nawet o tym nie wiedząc. Róż nie tylko ożywia twarz i sprawia, że wyglądasz zdrowo i młodo, ale też uwypukla policzki, co już jest elementem modelowania twarzy.

Róż powinien się znaleźć tuż nad partiami przyciemnionymi, poniżej zewnętrznego kącika oka. Nakładaj go od wysokości płatka nosa i przeciągaj

Jeśli zależy ci na subtelnym efekcie modelowania policzków i chcesz użyć tylko różu, kup produkt z połyskującymi drobinkami.

delikatnie ku górze – bez względu na kształt twarzy. Tak, to jest takie proste – znając ten sposób nakładania różu, wykonasz poprawny makijaż bez względu na to, czy masz twarz okrągłą, pociągłą czy jeszcze inną – te podziały są czysto teoretyczne i, szczerze mówiąc, niezbyt pomocne.

W celu pełnego konturowania policzków zróbmy jeszcze dwa kroki. Kosmetyk przyciemniający kładzie się, tworząc łuk (a nie linię prostą!) od górnej części ucha mniej więcej do wysokości górnej wargi. Powinien przechodzić przez miejsce tuż pod kością jarzmową – poczujesz je, płasko przykładając do niego palec wskazujący (spójrz na zdjęcie pomocnicze na stronie 90).

Największa koncentracja koloru powinna znaleźć się tuż przy uchu, potem stopniowo wygasać i w końcu niknąć w sposób niezauważalny. Aby

rzeczywiście tak było, od ucha prowadzimy pędzel malując wyraźną linię, a blendujemy (czyli mocniej rozpraszamy kolor) kolistymi ruchami.

Rozświetlacz nakładaj nad różem, na samym szczycie kości jarzmowej. Najgrubsza warstwa produktu powinna znajdować się poniżej zewnętrznego kącika oka, a im bliżej skroni i środka policzka, tym delikatniejsza musi być smuga rozświetlacza, aby w końcu całkowicie zniknąć.

Podsumowując: kolejność nakładania tych kosmetyków jest następująca – najpierw produkt do przyciemniania, potem róż, na końcu rozświetlacz. Jeśli zdecydujesz się na rozjaśnianie, wtedy produkt rozjaśniający trzeba nałożyć przed różem, ponieważ rozjaśniacz jest kosmetykiem płynnym lub kremowym. Aplikuj go na całą okolicę oka, tworząc trójkącik

Kości określane potocznie mianem policzkowych to w rzeczywistości kości jarzmowe.

(zobacz powyżej), w którego obrębie następnie wkle-piesz produkt. I dopiero wtedy, już po utrwaleniu, nałóż róż w formie pudru.

2 Czoło

Kobietom często coś się w tej części twarzy nie podoba – a to czoło jest zbyt wysokie, a to zbyt szerokie, albo jedno i drugie… Wszystkie te cechy na szczęście można skorygować.

Jeśli uważasz, że masz zbyt wysokie czoło, przy-ciemnij je na linii włosów. Wetrzyj kosmetyk w skórę tak, aby nie powstała widoczna jasna linia między przyciemnieniem a włosami. Nie bój się wchodze-nia pędzlem we włosy, w tym miejscu powinno się

nałożyć najwięcej produktu. Na sam koniec rozprowadź kosmetyk delikatnie ku dołowi.

Przy czole zbyt szerokim przyciemnij jego boki, również zawsze najwięcej produktu nakładając w miejscu, w którym skóra twarzy przechodzi w owłosioną skórę głowy.

Przy szerokim, ale jednocześnie niskim czole możesz też śmiało delikatnie rozjaśnić jego środek, nakładając odrobinę kosmetyku rozjaśniającego. Uwaga: nigdy nie rozświetlaj tego miejsca! Rozjaśnianie zresztą również dozwolone jest tylko wtedy, gdy masz skórę suchą i nie borykasz się z matowieniem „strefy T". Ale jeśli masz co do tego wątpliwości lub wrażenie, że twoje czoło jest naprawdę duże (zbyt wysokie i zbyt szerokie jednocześnie), zastosuj tylko przyciemnianie.

3 Nos

Z nosem można robić najbardziej magiczne sztuczki. Najczęściej kobiety martwią się jego szerokością. Często spotykane problemy to zbyt szeroki środek nosa, zbyt szeroki jego grzbiet lub nadmierna

> Jedyne, czego nie można w żaden sposób skorygować, to zbyt wydatny garbik na nosie – tutaj niestety konturowanie nie pomoże.

szerokość skrzydełek. Na szczęście wszystkie te elementy można optycznie skorygować.

Stosując się do zasady, według której przyciemnia się to, co chce się ukryć bądź zmniejszyć, jeśli nos jest zbyt szeroki, należy produktem przyciemniającym omieść jego boki. To samo dotyczy skrzydełek. Grzbiet nosa (o ile jest prosty) możesz delikatnie rozświetlić lub rozjaśnić – obie opcje są dopuszczalne.

> Jeśli masz cerę tłustą lub mieszaną, postaw raczej na rozjaśnianie grzbietu nosa, natomiast jeśli twoja skóra jest sucha – na rozświetlanie, które bardziej ją ożywi.

Nie przeciągaj produktu rozświetlającego do samego czubka nosa, żeby optycznie go nie wydłużyć – zatrzymaj pędzel nieco wcześniej.

Do konturowania nosa używaj małego puchatego pędzelka – tego samego, który stosuje się do makijażu oczu (numer 1 z listy pędzli obowiązkowych). Operuj nim mocniej przy grzbiecie nosa i rozcieraj produkt na boki w taki sposób, żeby linia nałożenia kosmetyku nie była widoczna, gdy patrzysz na twarz lekko zwróconą w bok.

4 Szeroka żuchwa

Aby skorygować kształt żuchwy, przyciemnij jej kąty i całą okolicę skóry przed uchem. Musisz szczególnie uważać z blendowaniem – ciemne produkty należy w tym miejscu bardzo dokładnie rozetrzeć, aby przejście kolorów było niezauważalne. Nie bój się też najechać trochę na szyję. Do konturowania tej części twarzy nie stosuje się jasnych produktów.

5 Drugi podbródek

W przypadku tego problemu przyciemnij skórę szyi, zaczynając od samego ucha (a nawet od skóry za uchem), przechodząc następnie pod kątem do żuchwy i kierując się aż do brody, a jednocześnie schodząc w dół. Ale uwaga! Wykonuj te czynności tylko po stronie podbródka, nie nachodząc produktem na żuchwę od strony twarzy. To jedyny typ konturowania, kiedy kosmetyków w ogóle nie nakłada się na twarz – odcina ono twarz od szyi, bo tylko w ten sposób uzyskasz efekt odchudzenia. Przy tuszowaniu drugiego podbródka również nie stosuje się żadnych produktów rozświetlających ani rozjaśniających, ponieważ niczego nie chcemy tutaj uwypuklać.

6 Uwypuklenie ust

Większość kobiet chce, aby ich usta wydawały się pełniejsze. Żeby uzyskać ten efekt, przyciemnij okolicę pod dolną wargą, co da złudzenie cienia, jaki rzucają duże, pełne usta. Produkty jasne nałóż natomiast nad środkiem górnej wargi (rozświetlając lub rozjaśniając tak zwany łuk Kupidyna).

7 Modelowanie oczu

Tak naprawdę modelujesz okolicę oczu już samym stosowaniem cieni do powiek – tu sprawa ma się podobnie jak z nakładaniem różu na policzki: konturujesz, nawet o tym nie wiedząc.

Ogólne zasady modelowania oczu są następujące: oczy będą się wydawać większe, bardziej otwarte i okrągłe, jeśli rozjaśnisz (lub rozświetlisz) środkową część górnej powieki i wewnętrzny kącik oka, a przyciemnisz linię rzęs i zewnętrzny kącik oka. Możesz zrobić to wszystko swoimi ulubionymi cieniami do powiek. O tym, jak nakładać cienie i jak dobrać odpowiednie kolory, opowiem w następnym rozdziale, który w całości poświęciłam cieniom do powiek i produktom do makijażu oczu.

rozświetlanie

przyciemnianie

Oto moje filmy na temat konturowania twarzy.
Obejrzyj je, jeśli chcesz poszerzyć swoją wiedzę.

Konturowanie twarzy na mokro
http://www.redlipstickmonster.pl/tajniki/konturowanie-na-mokro.html

Jak konturować owalną twarz i zbyt wysokie czoło?
http://www.redlipstickmonster.pl/tajniki/konturowanie-owalnej-twarzy.html

Kolor oczu

a kolor cienia do powiek

Pawie oko

Pamiętam, że jako kilkunasto-
letnia dziewczyna podkradałam
mamie cienie do powiek. Szczególnie te najbardziej kolorowe,
najczęściej niebieskie, które wtedy
uważałam za najpiękniejsze, bo
mam niebieskie oczy. Kilka dobrych
lat później dowiedziałam się (oraz
przekonałam w praktyce), że ten kolor
nie podkreślał mojej tęczówki – było
dokładnie na odwrót.
W tym rozdziale opowiem, jak wykonać podstawowy makijaż oka. Wyjaśnię
także, dlaczego niektóre kolory podkreślają
dany kolor oczu, a inne go gaszą.

Cienie, kredki i tusze

Zanim wyjaśnię, jak wykonać poprawny makijaż oka, podpowiem, czym go zrobić. Pierwszy produkt, który nanosisz na skórę podczas makijażu oka, to:

1 Baza na powieki

Zaczynamy od sprawy kluczowej i jednocześnie wartej większej inwestycji. Obecnie niemal każda marka kosmetyczna ma w swojej ofercie bazę pod cienie do powiek. Warto wybrać najlepszą, nawet jeśli nieco nadszarpnie to twój budżet.

Ten kosmetyk jest bardzo ważny z kilku powodów. Po pierwsze, nie wysusza delikatnej skóry okolic oczu, w przeciwieństwie do korektora lub podkładu użytego w takim samym celu. Po drugie, przedłuża trwałość makijażu. Po trzecie, ułatwia mieszanie cieni

i rozcieranie granicy między nimi. Po czwarte, podkreśla kolor cieni. Jeden produkt, a tyle korzyści!

Większość baz na powieki opiera się na silikonach – wygładzają one skórę i są delikatnie lepkie. Bazy przeważnie nie mają koloru, ale można też znaleźć kosmetyki o lekkim zabarwieniu. Te przydadzą się zwłaszcza dziewczynom mającym przejrzystą

> **Jeśli masz bardzo tłustą powiekę, bazę przyprósz warstwą pudru sypkiego.**

lub lekko sinią powiekę, z przebijającymi przez nią widocznymi naczynkami krwionośnymi. Cielista baza przyda się też osobom wykonującym bardzo minimalistyczny makijaż oczu – stanowi nie tylko jego podstawę, ale też zapewnia od razu naniesienie jaśniejszego koloru na powiece bez konieczności nakładania cienia.

> **Niekiedy baza na powieki nie spełnia twoich oczekiwań. Przyczyny takiego stanu rzeczy najczęściej są następujące:**
>
> – **stosujesz zbyt dużą ilość kosmetyku** (co jest chyba najczęściej popełnianym błędem);
> – **rozprowadzasz bazę nierównomiernie** (przez co cień do powiek tworzy plamy);
> – **nakładasz produkt na zbyt małą powierzchnię skóry** (na przykład tylko na ruchomą cześć powieki, zamiast od rzęs aż pod łuk brwiowy);
> – **używasz bazy, która jest zbyt kleista** (warto przyprószyć ją wtedy transparentnym pudrem lub matowym cieniem do powiek w kolorze waniliowym).

2 Cienie do powiek

Te produkty mogą zapewniać różne rodzaje wykończenia makijażu (jak widać na zdjęciu poniżej): matowe, perłowe, satynowe, metaliczne i brokatowe.

Cienie do powiek mogą być sypkie lub prasowane (te ostatnie są bardziej popularne i wygodniejsze

> **Jeśli chcesz wzmocnić pigmentację cienia do powiek, wklep go w skórę palcem.**

matowy   satynowy   brokatowy
perłowy   metaliczny

w aplikacji). Wybierając cień, warto sprawdzić na dłoni, jak się zachowuje – czy dobrze trzyma się skóry, czy się nie osypuje oraz czy ma odpowiednią pigmentację. Przed testem na dłoń należy zaaplikować odrobinę bazy lub podkładu – to da nam imitację skóry na powiece. Jest ona nieco inna niż skóra dłoni.

3 Kredki do powiek

Mogą być to zwykłe ołówki, które trzeba temperować, albo kredki automatyczne. Bez względu na ich formę, zawsze wybieraj te z miękkim rysikiem. Nie drażnią oka, ich aplikacja jest łatwa i możesz je po nałożeniu łatwo rozetrzeć palcem. Ale to jeszcze nie wszystko – ważne jest też, żeby szybko zastygały i były odporne na ścieranie. Wybierając kredki, również możesz przetestować je na dłoni i sprawdzić, czy lekko i łatwo się rozprowadzają. A potem, po kilku minutach skontrolować, czy kreska estetycznie zastygła na skórze i czy się na niej nie przemieszcza.

4 Eyelinery

Narysujesz nimi precyzyjną kreskę na powiece. Do wyboru masz produkty gotowe – w pisaku i w kałamarzyku (mają załączony sztywny pędzelek gąbkowy lub ze sprężystego, syntetycznego włosa) oraz w słoiczku (kremowe lub żelowe – do których trzeba mieć własny pędzelek).

Wszystkie te rodzaje eyelinerów mają swoje plusy i minusy. Gotowe produkty w pisaku i kałamarzyku łatwiej znaleźć i kupić – są w każdej drogerii. Trudniej jednak trafić na połączenie satysfakcjonującej nas formuły i dobrego aplikatora. Często eyeliner ma tylko jedną z tych cech. Przy produktach w słoiczku można się skupić na doborze najlepszej formuły, ponieważ i tak pędzelek trzeba kupić osobno.

z pędzelkiem

Ich plusem jest też bogatsza paleta kolorów, minusem natomiast fakt, że są to zazwyczaj kosmetyki ze średniej i wyższej półki, więc należy liczyć się z ich wyższą ceną.

Eyelinery mogą mieć wykończenie matowe, mogą też zastygać, tworząc lekko błyszczącą, sztywną skorupkę. Te ostatnie odradzam jednak osobom mającym problem z trwałością makijażu oka oraz z powieką, której załamanie sięga aż do miejsca wyciągnięcia kreski. Mogą łatwo pękać i się rozmazywać.

Na koniec warto wspomnieć, że najczęściej używa się eyelinerów w ciemnych, klasycznych kolorach, takich jak czerń, brąz, zieleń, granat, ewentualnie fiolet. Ale obecnie na rynku są też eyelinery w wielu niestandardowych barwach, a także kosmetyki brokatowe, które mogą dać ciekawy efekt na przykład na wieczorne wyjście.

5 Tusz do rzęs

Wybór tego kosmetyku tak bardzo zależy od indywidualnych preferencji jak wybór podkładu – ile osób, tyle opinii i upodobań. Dlatego też trudno jest polegać na rekomendacjach innych osób, bo ich oczekiwania często mogą się nie pokrywać z naszymi.

Podstawowy dla tego typu kosmetyków jest podział na tusze wodoodporne i niewodoodporne. Te pierwsze są bardziej trwałe, dzięki czemu lepiej sprawdzą się u osób, które mają problem z odbijaniem się makijażu na dolnej powiece.

Grzebyczki i szczoteczki w tuszach do rzęs mają obecnie najróżniejsze kształty. Materiał, z którego są wykonane, to najczęściej albo sztuczne włosie, albo tworzywo syntetyczne (typu silikon). Wybór kształtu i materiału grzebyczka lub szczoteczki zależy od twoich preferencji – każdy znajdzie coś dla siebie.

w słoiczku

z gabeczką

tusze
do rzęs

Feeria barw

Wiemy już, czym wykonać makijaż oka i jakie wybrać do tego narzędzia. Ale czy wiesz, jak najlepiej dobrać kolory kosmetyków? Zazwyczaj nie chodzi przecież o namalowanie sobie na powiekach wzorów pstrokatych jak u egzotycznych ptaków. Wystarczy subtelny akcent koloru lub jego przygaszony, przybrudzony odcień, aby uzyskać oszałamiający efekt.

Większość poradników podaje tylko podstawowe zestawienia barw tęczówek i kolorów podkreślających je cieni, co w praktyce wcale nie ułatwia wykonania udanego makijażu. Ja natomiast chciałabym, abyś przekonała się o tym, że zrozumienie zależności kolorystycznych jest naprawdę bardzo proste. Nauczę cię, jak samodzielnie dobrać kolor cieni do barwy twoich oczu, nawet jeśli jest to barwa nietypowa.

Aby dobrze zrozumieć, jakie kolory do siebie pasują i dlaczego tak się dzieje, warto wspomóc się kołem barw (zob. s. 74 i obok). Istnieją pewne

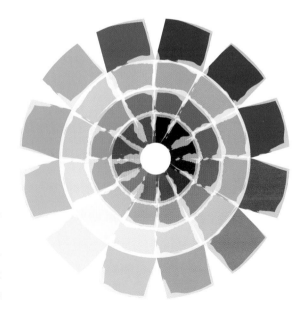

barwy określane mianem podstawowych (to tylko trzy kolory: czerwony, żółty, niebieski) oraz barwy pochodne i pośrednie (powstające wskutek mieszania kolorów). Każdy kolor ma swoje kolory dopełniające, inaczej zwane komplementarnymi. Te barwy znajdują się po przeciwnych stronach koła barw, a zmieszane dają neutralną szarość, dlatego że ciepły ton jednego koloru znosi zimno drugiego. Czytając te słowa, zerkaj na nasze koło barw – to ułatwi ci dostrzeżenie tych zależności.

Wiem, że tego typu wiedza może się wydawać nieprzydatna lub trudna do opanowania. Ale nie zniechęcaj się, postaram się wszystko dokładnie wyjaśnić. Barwy, które wymieniłam wyżej, mogą występować w swojej formie czystej (na przykład czerwień) albo też w jakiś sposób zmodyfikowanej (na przykład rozbielenie fioletu da nam subtelny liliowy, a przyciemnienie pomarańczowego – kolor brązowy). Mogą też występować w wariantach cieplejszych lub chłodniejszych. Dlatego nie należy kurczowo trzymać się

koła barw i podkreślać koloru swoich oczu wyłącznie czystymi odcieniami barw komplementarnych. Wtedy wszystkie musiałybyśmy chodzić z pomarańczowymi czy turkusowymi powiekami...

Dobierając kolory, kieruj się harmonią barw – czyli po prostu połączeniem miłym dla oka. W dobrym makijażu kolory pasują do siebie, nawet jeśli niektóre z nich są wyraziste lub zestawione kontrastowo. Istnieją różne rodzaje harmonii barw. Te, które zwykle stosujemy w makijażu, to:

Harmonia monochromatyczna – wykorzystuje się w niej tę samą barwę, ale w różnych odcieniach. Na przykład przy neutralnym makijażu oka w różnych odcieniach beżu wykorzystujemy różne odcienie tej samej, beżowej barwy, począwszy od wanilii, przez średni brąz, aż do ciemnej czekolady. Odcienie się zmieniają, ale barwa pozostaje ta sama; na przykład w odniesieniu do brązowej tęczówki oka taki efekt zapewni paleta brązowych cieni do powiek.

Harmonia dopełniająca – to połączenie dwóch kolorów stojących po przeciwnych stronach koła barw. To właśnie ta harmonia jest najczęściej wykorzystywana w makijażu oka, ponieważ barwy przeciwstawne podkreślają się nawzajem. Dlatego na przykład zielone oczy podkreślamy odcieniami pomarańczowymi, a brązowe – odcieniami błękitu. Ale powiedzmy to sobie raz jeszcze – nie muszą to być barwy czyste. Równie dobrze możemy zastosować dowolne bardziej nam odpowiadające barwy pochodne, stojące po przeciwstawnej stronie koła barw niż kolor naszych oczu (czyli na przykład brązowe oczy nie muszą być podkreślone wyłącznie błękitem, może to być równie dobrze turkus, granat, fiolet itp., a oczy zielone podkreśli nie tylko barwa pomarańczowa, ale też wszystkie inne kolory jej pokrewne, takie jak odcienie miedzi, czerwieni czy róży).

Harmonia kamei – to harmonia trzech barw leżących obok siebie na kole chromatycznym (na przykład turkus, zielony i limonkowy nie są odcieniami tego samego koloru, ale sąsiadują ze sobą). Często kiedy kupujemy małe paletki cieni (przykładowo dwu-, trzy- lub czterobarwne), są one już przez producenta dobrane tak, aby spełniały warunki palety barw utrzymanej w harmonii kamei.

Harmonia równoboczna – bazuje na schemacie trójkąta równobocznego. Polega na wykorzystaniu trzech barw znajdujących się w równej odległości na kole kolorów. Kontrast między nimi jest duży, więc każda z nich jest dobrze widoczna. W makijażu zasada harmonii równobocznej nie ogranicza się tylko do makijażu oka. Można tutaj wziąć pod uwagę kolor twoich oczu (na przykład

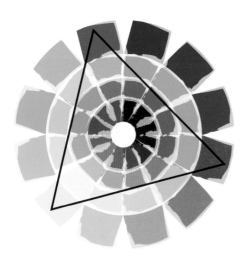

piwny – będzie stanowić jeden z rogów naszego trójkąta), kolor twojego eyelinera (w tym przypadku turkusowy – to kolejny róg omawianego trójkąta) oraz kolor twoich ust i policzków, ponieważ powinny one mieć wspólne tony (na przykład różowofioletowe – to trzeci róg trójkąta). Inny przykład: mając niebieskie oczy (ich kolor wyznacza pierwszy z rogów trójkąta), podkreślamy je złotem na powiekach (drugi róg) i czerwienią na ustach (trzeci

róg trójkąta). Trudne? Spójrz na koło barw (zobacz powyżej) i znajdź te trzy kolory – niebieski, złoty i czerwony. Widzisz, że można między nimi narysować trójkąt o równych bokach? To właśnie o harmonię tego trójkąta chodzi.

Harmonia oparta na planie trójkąta równoramiennego – zasada jej funkcjonowania jest taka sama jak przy harmonii równobocznej, ale odległość

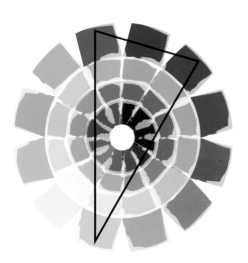

jednego z trzech kolorów od dwóch pozostałych na kole barw jest w tym wypadku większa, przez co makijaż jest bardziej wyrazisty. Najłatwiej wytłumaczyć to na przykładzie. Brązowy kolor oczu (czyli przyciemniony żółtopomarańczowy) będzie wyznaczać najbardziej oddalony od pozostałych róg trójkąta. Podkreślimy go teraz kolorem niebieskim (na przykład cienia) i fioletowym (na przykład eyelinera). Niebieski i fioletowy to barwy, które leżą po przeciwnej stronie na kole barw, oddalone od siebie w równym stopniu, tworząc bliźniacze rogi trójkąta równoramiennego.

Teraz już możesz dowolnie i – co najważniejsze – świadomie miksować kolory, wiedząc, jak na siebie oddziałują. Znając te zestawienia i rozumiejąc, z czego wynikają mechanizmy podkreślania jednych kolorów przez inne, potrafisz dobrać kolory korzystne dla makijażu każdych oczu, zarówno tych powszechnie spotykanych: niebieskich, szarych, zielonych, brązowych i piwnych, jak i rzadszych, na przykład niebieskozielonych (przy tym typie oczu zależnie od tego, który kolor chce się podkreślić, należy użyć barw przeciwstawnych albo dla koloru zielonego, albo dla niebieskiego). Teraz możesz zweryfikować swoje wiadomości, wykorzystując ściągę (po prawej). Zestawiłam w niej kolory tęczówek z pasującymi do nich barwami cieni do powiek.

Istnieją też barwy, które pasują do każdego koloru oka. Są to neutralne szarości i brązy, które zawsze wyglądają harmonijnie – czy to jako jedyne kolory, których użyjemy na powiece, czy też jako jedne z kilku.

oczy niebieskie

oczy zielone

oczy brązowe

oczy piwne

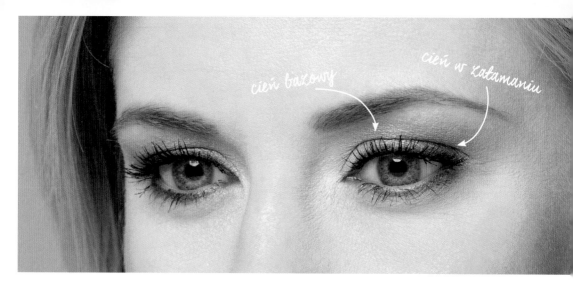

cień bazowy

cień w załamaniu

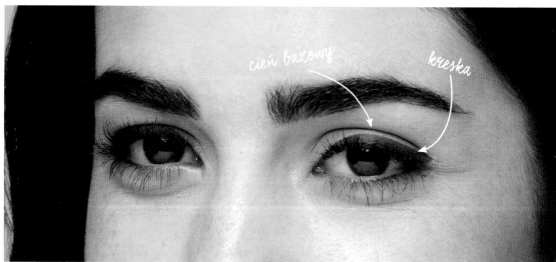

cień bazowy

kreska

Znasz już teorię harmonijnego łączenia ze sobą kolorów. Jak zastosować tę wiedzę w praktyce? W jaki sposób przemycić wybrane kolory do naszego makijażu oka?

Można zastosować następujące metody:
- narysowanie kreski eyelinerem,
- podkreślenie cieniem lub kredką linii rzęs,
- nałożenie koloru bazowego na całą powiekę (do wyboru: jego czystego odcienia, mocno zgaszonej formy albo wersji metalicznej, dającej tylko poblask wybranej barwy);
- aplikowanie ciemniejszego koloru, co posłuży do podkreślenia zewnętrznego kącika oka (tu należy użyć czystej formy koloru lub bardziej przygaszonej).

Teraz masz już wiedzę na temat kolorów, której nie powstydziłby się żaden profesjonalista, i pozostało tylko… wykonanie makijażu oka krok po kroku.

Podstawowy makijaż oczu

Czym i jak wykonać makijaż oczu? Wiesz to już dzięki informacjom zawartym w tym rozdziale oraz w rozdziale pierwszym, w którym prezentuję typy pędzli do makijażu. Pozostaje nam omówienie wykonania poszczególnych etapów.

Zależnie od tego, jakich kolorów użyjesz, możesz zrobić makijaż dzienny, delikatny i uniwersalny albo ciemne, seksowne smokey eyes. Zasada wykonania obu rodzajów makijażu oka jest taka sama – zmieniają się tylko kolory. Oto krótka instrukcja, składająca się z następujących sześciu etapów:

1 **Nałożenie cienkiej warstwy bazy** na całą powierzchnię powieki, aż do łuku brwiowego (również w kąciku wewnętrznym oka i przy jego kąciku zewnętrznym). Można to zrobić za pomocą pędzelka, ale najwygodniejszym narzędziem będzie twój własny palec. Wklepuj nim bazę i delikatnie ją rozcieraj.

2 **Nałożenie koloru bazowego** na całą powiekę przez wklepanie go pędzelkiem numer 1 z listy pędzli niezbędnych lub palcem. Kolor bazowy powinien być najjaśniejszym z kolorów użytych do

> **J**eżeli makijaż oka wykonujesz palcami, to użyj serdecznego i środkowego, ponieważ ich nacisk jest najdelikatniejszy.

makijażu oka. Delikatnie rozprowadzaj go na powiece do miejsca powyżej jej załamania. Tak nałożony cień może być świetną bazą do blendowania koloru ciemniejszego, ale sam również będzie wyglądać dobrze. W miejscu, gdzie chcesz uzyskać mocniejszą pigmentację produktu (czyli na przykład na środku powieki ruchomej), wklep go mocniej palcem, a na pozostałych częściach powieki wykonuj ruchy prawo–lewo (żeby delikatnie rozetrzeć produkt), jednocześnie kierując się w stronę brwi.

3 **Przyciemnienie zewnętrznego kącika oka.** Cień ciemniejszy od bazowego rozprowadź, wykonując koliste ruchy zawsze w kierunku od linii rzęs aż do miejsca odrobinę wystającego poza załamanie powieki. Czując, jak pędzel wchodzi w to załamanie i cały czas wykonując koliste ruchy, możesz też kierować go lekkim łukiem w stronę wewnętrznego kącika oka. Czynność tę wykonuj albo małym okrągłym, albo spłaszczonym pędzlem. Sama najczęściej używam tego samego pędzla co w punkcie poprzednim.

Zazwyczaj zaleca się wykonywanie kreski eyelinerem od wewnętrznego do zewnętrznego kącika oka. Ale jest jeszcze jeden sposób, nieco mniej znany, polegający na wykonaniu tej kreski nie od wewnętrznego kącika oka, ale od miejsca, gdzie zaczynają rosnąć rzęsy (około 5 mm dalej). Tak wykonana kreska bardziej „otwiera" oko.

4 **Zaznaczenie linii rzęs.** Masz do wyboru trzy opcje. Możesz narysować eyelinerem kreskę wyraźną (to najbardziej precyzyjny sposób) lub delikatną, łatwo dającą się rozmyć (wspomagając się kredką). Możesz też uzyskać subtelny, rozmyty efekt, używając ciemnego cienia do powiek. Wybierz wtedy najciemniejszy odcień spośród tych, których zamierzasz użyć do danego makijażu. Kreskę

Nie bój się roztarcia dolnej kreski ku dołowi. Rozmyta w ten sposób optycznie powiększa i otwiera oko. Podobnie jest z tuszowaniem dolnych rzęs. Pokutuje mit, że jeśli ich nie wytuszujemy, to oczy wydadzą się większe. Nic bardziej mylnego – efekt będzie wprost odwrotny.

na górnej powiece narysuj, zaczynając od wewnętrznego kącika powieki lub od miejsca, gdzie zaczynają się rzęsy, i poprowadź linię aż do końca powieki.

5 **Zaznaczenie dolnej powieki.** Dolną powiekę podkreśl tylko kredką albo cieniem – nigdy eyelinerem! Nie rysuj też kreski na całej długości powieki. Zacznij od zewnętrznego kącika oka i poprowadź linię do około jednej trzeciej długości powieki, maksymalnie do jej połowy. Wszystko zależy od budowy oka – trzeba poeksperymentować i sprawdzić, jaka opcja jest dla ciebie najkorzystniejsza. I jeszcze ważna

Jeśli masz problem z tuszowaniem dolnych rzęs, użyj maskary, która ma już kilka tygodni i nie jest tak płynna jak świeżo otwarta.

uwaga na koniec: dolną kreskę zawsze trzeba delikatnie rozetrzeć ku dołowi. Zrób to palcem albo pędzelkiem: ściętym lub małym kulkowym. Ten ostatni jest o tyle lepszy, że od razu delikatnie rozciera kreskę.

6 **Tuszowanie rzęs.** Kiedy już znajdziesz swój idealny tusz, uważaj, żeby przy aplikacji nie okleić nim rzęs. To częsty błąd popełniany przy makijażu oka. Pamiętaj – kilka cienkich warstw tuszu to warunek konieczny do uzyskania efektu dobrze rozczesanych, pogrubionych i podkręconych rzęs.

Rzęsy podkręcone zalotką świetnie utrwali tusz wodoodporny.

gotowe!

Jeśli wykonując makijaż oka, zrobisz gdzieś plamę kosmetykiem (na przykład eyelinerem czy tuszem do rzęs), pamiętaj, że najłatwiej będzie ją usunąć, kiedy zaschnie.

Unikaj stosowania jednej, ale za to grubej warstwy. I jeszcze mała uwaga na koniec – jeżeli twoje rzęsy są zbyt proste, warto wcześniej użyć zalotki. Tuż przed malowaniem rzęs złap je jak najbliżej nasady zalotką i delikatnie przyciśnij, wykonując ruch pulsacyjny. Powtórz tę czynność dwu- lub trzykrotnie, za każdym razem przesuwając zalotkę o milimetr dalej w stronę końca rzęs. Dzięki temu uzyskasz trwałe i dobrze wyprofilowane podkręcenie.

Tak wygląda schemat podstawowego makijażu oka. Pamiętaj – niezależnie od tego, czy robisz makijaż dzienny, wieczorowy czy karnawałowy, kolejność czynności i zasady nakładania kosmetyków się nie zmieniają. Zmieniają się za to kolory produktów,

których używasz. To od ciebie zależy, czy wybierzesz na przykład cienie waniliowe, karmelowe i ciemno-czekoladowe, wykonując delikatny makijaż dzienny, czy kosmetyki w nasyconych odcieniach czerwieni, złota i czerni, aby zrobić mocny makijaż wieczorowy. Powyżej zobaczysz zestawienie dwóch makijaży wykonanych w opisany wyżej sposób. Jedyne, co zostało zmienione, to kolor cieni do powiek.

To jednak nie wszystkie informacje na temat makijażu oka. W następnych rozdziałach podpowiem ci między innymi, jak optycznie powiększyć oczy, jak narysować idealne kreski i dlaczego nie warto traktować okularów jak zła koniecznego.

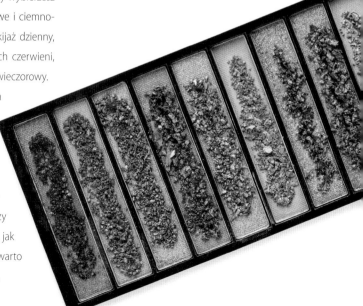

Oto moje filmy dotyczące makijażu oczu.
Obejrzyj je, jeśli chcesz poszerzyć swoją wiedzę.

Rozświetlający makijaż
powiększający oczy
http://www.redlipstickmonster.pl/
tajniki/makijaz-powiekszajacy-oczy.html

Jak używać brokatu
w makijażu oka
http://www.redlipstickmonster.pl/
tajniki/brokat-w-makijazu-oka.html

Dwa makijaże z użyciem cieni
duochrome
http://www.redlipstickmonster.pl/
tajniki/makijaze-duochrome.html

Wszystko o cieniach duochrome
http://www.redlipstickmonster.pl/
tajniki/wszystko-o-duochrome.html

Szybkie smokey eyes
dla każdego koloru oczu
http://www.redlipstickmonster.pl/
tajniki/szybkie-smokey-eyes.html

Zalotka – jak podkręcić,
by nie niszczyć rzęs?
http://www.redlipstickmonster.pl/
tajniki/zalotka.html

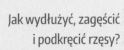

Jak wydłużyć, zagęścić
i podkręcić rzęsy?
http://www.redlipstickmonster.pl/
tajniki/jak-wydluzyc-rzesy.html

Test tanich tuszy do rzęs
http://www.redlipstickmonster.pl/
tajniki/tanie-tusze.html

Łatwy, szybki i elegancki
makijaż na sylwestra
http://www.redlipstickmonster.pl/
tajniki/szybki-makijaz-na-sylwestra.html

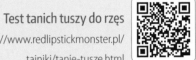

Jak korygować makijażem
smutne oczy?
http://www.redlipstickmonster.pl/
tajniki/smutne-oczy.html

Najprostszy makijaż
wieczorowy dla brązowych oczu
http://www.redlipstickmonster.pl/
tajniki/makijaz-dla-brazowych-oczu.html

Kreski
na powiekach

Trudna sprawa...

Kreski na powiekach. Zalotne, urocze, kocie... różne, ale jednakowo urzekające. Zawsze marzyłam o pięknych kreskach na powiekach, najlepiej wyraźnych i mocno wyciągniętych w stylu *pin-up*. Kreska to ten element makijażu, który mnie fascynował, ale też... wkurzał. Dlaczego? Bo długo nie umiałam jej narysować. Im bardziej się starałam, tym bardziej mi nie wychodziła. Ale czy ja sprawiam wrażenie osoby, która w takich sytuacjach

się poddaje? Tym bardziej uparłam się, że dam radę!

Dużo czasu zajęło mi wypracowanie techniki, którą obecnie stosuję. Byłoby mi znacznie łatwiej, gdybym wtedy, kiedy dopiero zaczynałam, miała do dyspozycji taką ściągę, jaką przygotowałam dla ciebie... Zamierzam zdradzić ci wszystkie tajniki wykonywania perfekcyjnych kresek i opisać rozwiązania konkretnych, często spotykanych problemów.

Narzędzia zbrodni

W poprzednim rozdziale mogłaś przeczytać o tym, jakimi produktami i narzędziami wykonać kreskę na powiece (zob. s. 103). Teraz opowiem ci, jakie efekty możesz uzyskać dzięki nim, a tym samym – jak będzie wyglądać twoja kreska.

1 Eyeliner

Zdecydowanie najpopularniejszy kosmetyk do rysowania kresek. Zapewnia precyzję wykonania i ostrą, wyraziście nakreśloną linię (zob. s. 122). Można narysować nim kreskę tylko na linii rzęs, nie prowadząc jej dalej. Najczęściej jednak kreska jest przedłużana, tworząc charakterystyczny, zalotnie wystający ogonek.

Narysowanie udanej kreski eyelinerem jest trudniejsze niż wykonanie jej jakimkolwiek innym

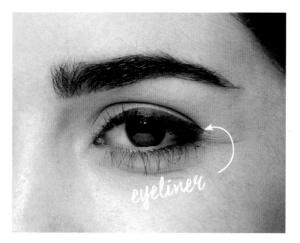

kosmetykiem. Technika robienia kreski to bardzo obszerny temat, dlatego poświęciłam mu cały kolejny rozdział. Dodam również, że jeśli nauczysz się robić równą kreskę eyelinerem – bez trudu narysujesz ją każdym innym kosmetykiem.

2 Kredka

Miękka i delikatna daje efekt wyraźny, choć nie tak zdecydowany jak eyeliner. Jest też bardziej uniwersalnym produktem: nadaje się zarówno do delikatnego makijażu dziennego, jak i do wyrazistego wieczorowego.

Kreskę wykonaną kredką możesz narysować i pozostawić na powiece w takiej formie, w jakiej powstała, albo lekko rozetrzeć pędzelkiem lub palcem. Można także rozmyć ją przy użyciu cienia do powiek. Uzyska się w ten sposób bardziej miękki, rozblendowany efekt.

Kreski wykonanej kredką zazwyczaj nie wyciąga się poza linię rzęs – ewentualnie robimy delikatny ogonek.

3 Cień

Ten produkt daje najbardziej subtelny efekt. Dzięki temu świetnie sprawdza się w makijażu dziennym. Jest też najlepszy dla początkujących – jeśli dopiero zaczynasz swoją przygodę z wykonywaniem kresek, to cień najwięcej ci wybaczy i najłatwiej się z nim oswoisz. Daje miękki efekt, a kreski rysuje się łatwo i szybko.

Cień nakładaj skośnie ściętym, płaskim pędzlem (ostatnim z listy pędzli niezbędnych) i wciskaj kosmetyk w linię rzęs, lekko go przy tym rozcierając. Zazwyczaj podkreśla się nim tylko tę linię, choć można też narysować subtelny ogonek.

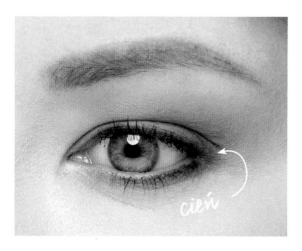

Kolorowe
kredki

Wiemy już, czym wykonać kreski
i jaki efekt uzyskasz w zależności od
zastosowanego produktu. Jaki natomiast wybrać kolor? Klasyka to oczywiście czerń i ciemny brąz, a także granat, zieleń i ciemny fiolet. Przypomnij sobie
jednak informacje o kolorach podkreślających barwę tęczówki oka (zob. s. 109). Korzy-
stając z tej wiedzy, możesz jednocześnie podkreślić zarówno kształt oka, jak i jego kolor. Zachęcam
do eksperymentowania z kolorami kresek na powiekach – efekty mogą cię zaskoczyć.

Jak NIE robić kresek?

Narysowanie kreski na powiece nie jest najłatwiejszą częścią makijażu, o czym już wspominałam i o czym zapewne sama już się przekonałaś… Kobiety często popełniają pewne błędy – nazwijmy te błędy po imieniu i zastanówmy się, jak im zaradzić.

1. **Płasko idący ogonek.** Daje efekt smutnego, zmęczonego oka, dlatego staraj się nie wyciągać kreski zbyt płasko.

2. **Klasyczny smutas.** Czyli kreska z ogonkiem zbyt późno wyciągniętym w górę. Aby nie nadawać oku smutnego wyglądu, musisz wyciągnąć kreskę w górę odpowiednio wcześniej.

3. **Prześwity przy rzęsach.** Jeśli nie możesz dotrzeć eyelinerem wszędzie, gdzie powinnaś, i trudno ci wjechać nim między pojedyncze rzęsy, możesz rozprowadzić w problematycznych miejscach cień w kolorze eyelinera – nałożysz go w każdym zakamarku i problem zniknie.

4. **Nierówna, pofalowana kreska** (będąca najczęściej efektem niestabilności ręki podczas wykonywania makijażu lub złego doboru narzędzia). Rozwiązaniem jest zmiana aplikatora albo zmiana produktu na bardziej gęsty. Efekt końcowy uratuje też rozmycie linii cieniem i pędzelkiem kulkowym. Jeśli problem nadal będzie się pojawiał, zadbaj o stabilne oparcie dla ręki, a także o okazje do… częstszych ćwiczeń makijażowych.

5. **Kreska o tej samej grubości w każdym miejscu** – bez przewężeń i rozszerzania się w odpowiednich miejscach. Taka kreska nie wymodeluje oka, nie wygląda też zbyt subtelnie.

6. **Dwie różne kreski na obu powiekach.** Nie ma nic bardziej denerwującego niż inna kreska na jednej powiece i inna na drugiej… Na szczęście możesz korygować kształt kresek przez wymywanie różnic płaskim pędzelkiem zamoczonym w płynie do demakijażu.

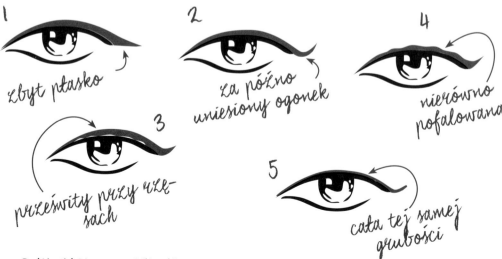

1 zbyt płasko

2 za późno uniesiony ogonek

4 nierówno pofalowana

3 prześwity przy rzęsach

5 cała tej samej grubości

Instrukcja obsługi

Wiesz już, jakich grzechów nie popełniać. Czas się dowiedzieć, jak najłatwiej wykonać piękne, efektowne kreski, identyczne na obu powiekach. Zależało mi na tym, by opisać technikę wykonania tej części makijażu oka bardzo dokładnie, wręcz rozkładając ją na czynniki pierwsze. Opiszmy to krok po kroku:

- Oprzyj łokieć o blat. Wielu osobom drżą ręce, toteż często kobiety zwierzają mi się, że już samo oparcie łokcia pomogło im narysować równe kreski. Dlatego pamiętaj o tym z pozoru nieistotnym szczególe – tak naprawdę to podstawowy warunek wykonania perfekcyjnej kreski.

- Zadbaj, aby źródło światła znajdowało się na wprost twojej twarzy (najlepiej znajdź sobie miejsce pod oknem, żeby móc korzystać ze światła dziennego). Światło padające z boku lub pod kątem nie ułatwi ci zadania. Warto też unieść brodę leciutko do góry, bo dzięki temu będziesz dobrze widzieć miejsce, w którym chcesz narysować kreskę.

- Potrzebujesz lusterka, którego nie musisz przed sobą trzymać i w którym zobaczysz całą swoją twarz. To bardzo ważne, musisz widzieć oboje oczu jednocześnie, aby wykonać jednakowe kreski. Inaczej to się po prostu nie uda.

- Unikaj robienia dziwnych min, nie naciągaj też skóry wokół oka mocno w bok podczas rysowania kreski – przyznaję, wygodniej ją wtedy narysować, ale efekt, który uzyskamy, kiedy już puścimy tę naciągniętą skórę, będzie naprawdę mizerny.

- Na aplikator lub pędzelek nabierz tylko odrobinę kosmetyku. Często trzeba go lekko wytrzeć o nakrętkę produktu, aby usunąć nadmiar pigmentu.

- Oprzyj pędzelek o nasadę rzęs [1] i dotykając lekko powieki, przesuwaj go najpierw od środka powieki aż do zewnętrznego kącika oka, a dopiero później przejdź do kącika wewnętrznego. Zanurzając pędzelek w kosmetyku po raz pierwszy, zwykle

Red Lipstick Monster – tajniki makijażu

nabiera się na niego więcej produktu, niż potrzeba, co stwarza ryzyko zrobienia plamy w wewnętrznym kąciku oka i narysowania tam zbyt grubej kreski.

— Następnie dojedź pędzelkiem bliżej wewnętrznego kącika [2]. Twoja kreska nie musi zaczynać się w kąciku oka, jej początek może znajdować się około 5 mm dalej, w miejscu, w którym zaczynają rosnąć rzęsy.

— Kreska powinna być cieńsza przy wewnętrznym kąciku oka i tym grubsza [3], im bliżej jej do kącika zewnętrznego. Po doprowadzeniu pędzelka do końca linii rzęs, możesz na tym poprzestać. Jeżeli jednak masz ochotę wyciągnąć kreskę dalej, robiąc ogonek, przeczytaj kolejne punkty.

— Czas zatem na ogonek, czyli tak zwaną jaskółkę [4]. Najpierw trzeba wyznaczyć jej kształt i zasięg. Ogonek to przede wszystkim przedłużenie linii dolnej powieki. Aby go wykonać, najłatwiej jest przyłożyć

patyczek lub trzonek pędzla do skrzydełka nosa i kącika oka – to wyznaczy kierunek kreski. (To ta sama czynność, którą wykonujesz, wyznaczając zakończenie linii brwi, zob. s. 149). Możesz wyciągnąć ogonek tak daleko, jak masz ochotę. Tu nie ma reguł. Kreska może być delikatna, króciutka, ale też wyrazista i długa – to zależy wyłącznie od twojego gustu. Nie ma jednej właściwej długości jaskółki – to ty o niej decydujesz.

— Teraz pora na połączenie ogonka z kreską [5], która uprzednio powstała na oku, i ewentualne wypełnienie brakujących fragmentów lub wyrównanie kreski, jeśli zachodzi taka potrzeba.

— I ostatnia rada – uzbrój się w cierpliwość! To, że pierwsze próby zwykle kończą się klęską, nie znaczy, że wkrótce nie opanujesz sztuki rysowania kresek, i to tak dobrze, że będziesz się śmiać ze swoich początkowych porażek.

Symetria doskonała

Narysowanie kreski samo w sobie nie jest łatwe, a kiedy uświadamiasz sobie, że musisz jeszcze narysować drugą – idealnie symetryczną – można stracić entuzjazm… Dlatego opiszę kilka sprawdzonych trików, które pomogą ci narysować symetryczne kreski.

Zacznij od „trudniejszego" oka. Chyba każdej z nas lepiej udaje się wykonać makijaż jednego oka, podczas gdy przy malowaniu drugiego pojawiają się kłopoty… Ja na przykład jestem praworęczna i dlatego znacznie łatwiej maluje mi się oko prawe, a przy lewym muszę się już nieco postarać. Warto najpierw narysować kreskę na tym oku, które maluje ci się trudniej.

— Dobrym pomysłem jest wykonywanie tych samych, krótkich etapów na obu oczach na zmianę. Nie maluj w całości jednego oka, a dopiero potem drugiego – podziel tę czynność na etapy i rysuj po fragmencie kreski raz na jednym, raz na drugim oku.

— Bardzo ważną sprawą jest też patrzenie w lusterko ustawione dokładnie na wprost twojej twarzy. Wtedy kontrolujesz każdy etap rysowania kresek i na bieżąco sprawdzasz, czy są symetryczne.

— Dobrym sposobem na symetryczny makijaż oczu jest zaznaczenie małych kropeczek przy

zewnętrznych kącikach oczu, w miejscach, gdzie mają się kończyć ogonki. Wyznacz sobie kropeczkami linie, po których mają biec twoje kreski, a następnie sprawdź, czy są symetryczne. Jeśli nie, poprawiaj ułożenie kropek do skutku. O wiele łatwiej jest zmazać małą kropeczkę niż cały ogonek.

— Warto też zastosować metodę małych kroczków, czyli wykonywać pędzelkiem powolne, drobne ruchy, dające się kontrolować na każdym etapie. To uchroni cię przed narysowaniem brzydkich i grubych krech.

Jeśli masz naprawdę duży problem z narysowaniem symetrycznych jaskółek, to z pomocą przyjdzie ci… taśma klejąca. Jej małe kawałeczki przyklej równo w miejscach, gdzie mają się znaleźć ogonki, i rysuj jaskółki jak od linijki.

Kreska – ale jaka?

No dobrze, ale jak dobrać grubość kreski? I jaka powinna być jej długość? Albo wywinięcie? Spokojnie: długość kreski może być dowolna. Tutaj ogranicza cię jedynie własna wyobraźnia. Podobnie jest z grubością – istnieje tylko jedna zasada, której lepiej się trzymać: kreska nie może mieć tej samej grubości w każdym miejscu – przy wewnętrznym kąciku oka powinna być węższa.

Wywinięcie kreski ma być przedłużeniem linii dolnej powieki, o czym mogłaś już przeczytać w mojej małej instrukcji obsługi (zob. s. 125). Wiesz już, jak ją wyznaczyć i w jaki sposób ma przebiegać. Ale i tu nie ma sztywnych granic – możesz eksperymentować i sama decydować o rodzaju wywinięcia – na przykład im wyżej pociągniesz jaskółkę, tym bardziej zadziornie będzie wyglądać. Z kolei wywinięta niżej oddali od siebie optycznie oczy.

Z czasem sama znajdziesz ten kształt kreski, dzięki któremu twoje oczy będą wyglądać najkorzystniej – a nie da się tego zrobić inaczej, niż eksperymentując. Każde oczy są inne i nie można z góry przewidzieć, jaki typ kreski jest dla nich najlepszy.

Daj sobie godzinę na ćwiczenia. Wypróbuj kilka grubości i długości kresek. I za każdym razem rób sobie zdjęcie aparatem skierowanym wprost na twarz – dzięki temu na koniec będziesz mogła porównać zdjęcia i sprawdzić, z jakimi kreskami podobasz się sobie najbardziej.

Jak narysować kreskę
na „trudnej" powiece?

Na koniec zajmijmy się problemami wynikającymi ze specyficznej budowy anatomicznej. Co mamy na myśli, mówiąc: „trudna" powieka? Zwykle nazywa się w ten sposób opadającą powiekę, ale nie tylko – może chodzić jedynie o opadający kącik. „Trudna" jest również taka powieka, której załamanie przecina miejsce, gdzie zwykle wypada ogonek kreski.

Z tymi problemami dość łatwo można sobie poradzić. Są dwie możliwości:
– albo zawsze kończ kreskę tam, gdzie kończy się linia rzęs;
– albo koryguj ogonek, dopasowując go do kształtu swojej powieki. Sprawdzaj wtedy wygląd kresek, patrząc na wprost, ale też przy lekko przymkniętych oczach i wtedy, kiedy masz brodę lekko wysuniętą do przodu. Twoje kreski mają wyglądać dobrze przede wszystkim wtedy, kiedy patrzysz na siebie w lustrze na wprost.

I jeszcze jedna uwaga: jeśli masz niesymetryczne oczy – kreskę też rysuj niesymetrycznie. Nie bój się i dopasowuj ją tak, aby wyglądała prosto na oku.

Teraz, kiedy już potrafisz wykonać piękne, równe kreski na powiekach, wiesz właściwie wszystko o makijażu oka – co nie znaczy, że temat został wyczerpany. W następnym rozdziale kilka przydatnych porad znajdą osoby noszące okulary. Jeśli do nich należysz i chcesz mieć pięknie wykonany makijaż oka, nie zaszkodzi tam zerknąć.

Oto mój film poświęcony wykonaniu idealnej kreski eyelinerem.
Obejrzyj go, jeśli chcesz poszerzyć swoją wiedzę.

Idealna kreska eyelinerem
http://www.redlipstickmonster.pl/tajniki/idealna-kreska.html

Makijażowe triki
dla okularnic

Okulary – zło konieczne?

Makijaż dla okularnicy. To temat, który dobrze znam z doświadczenia, ponieważ sama mam wadę wzroku. Od dłuższego czasu noszę soczewki kontaktowe – ale nie zawsze tak było. Dlatego teraz opowiem ci o moich sposobach na udany makijaż oka dla osób noszących okulary (korygujące zarówno krótko-, jak i dalekowzroczność). Nawet jeśli nie masz wady wzroku, nie omijaj tego rozdziału! Przeczytaj jego pierwszą część, bo rady tutaj zawarte będą miały zastosowanie także w odniesieniu do okularów przeciwsłonecznych.

Przede wszystkim pamiętaj, że noszenie okularów nie jest tragedią. Można w nich pięknie wyglądać,

trzeba tylko zwrócić uwagę na pewne kwestie. Nie ma jednego konkretnego typu makijażu, który pasuje do okularów i wymusza jakieś ograniczenia podczas malowania się albo odwrotnie – wymaga wykonywania pewnych dodatkowych czynności. Podkreślam raz jeszcze: nie ma czegoś takiego!

Makijaż dobieraj do siebie – do swoich preferencji i gustu… a nie do tego, co masz na nosie. Okulary są twoim dopełnieniem, a nie zmorą, dlatego maluj się tak, jak lubisz. Jedyne, o czym musisz pamiętać, to złudzenia optyczne powodowane przez szkła korekcyjne i kwestie praktyczne związane z noszeniem okularów, o czym będzie mowa dalej.

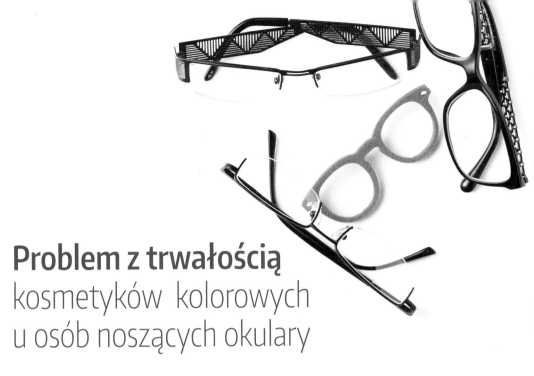

Problem z trwałością
kosmetyków kolorowych
u osób noszących okulary

Jeśli mamy makijaż, a na nosie okulary, to kosmetyki nałożone na naszą twarz zawsze będą się w pewnym stopniu gromadzić w miejscu, gdzie oprawki dotykają skóry. Zawsze! Oczywiście jeśli nie nakładamy na twarz żadnych kosmetyków, bo makijaż ograniczamy wyłącznie do okolic oczu – ten problem się nie pojawi. Jeśli jednak chcemy wyrównać kolor cery, a okulary nam to skutecznie utrudniają, możemy odczuwać frustrację…

Ale spokojnie. Mimo że problemu nietrwałości kosmetyków pod okularami nie da się w pełni wyeliminować, można go znacznie zmniejszyć. Jest na to kilka sposobów:

— przede wszystkim w tych miejscach, gdzie o skórę ocierają się oprawki, lepiej nałożyć naprawdę niewiele produktu. Taka cienka warstwa ma mniejszą tendencję do przemieszczania się. A nawet jeśli zacznie migrować – będzie to mniej widoczne niż w przypadku grubej warstwy podkładu rozmazanej na nosie i policzkach;

— wklep podkład, a następnie nałóż na niego niewielką ilość pudru, który go utrwali, również ruchami wklepującymi. Jeśli nie przypudrujesz podkładu, nie będzie się dobrze trzymać skóry. Pierwszy kosmetyk wklepuj pędzelkiem, a drugi miękkim puszkiem – zawsze od skroni do nosa;

— najlepiej wybierać oprawki z noskami – wtedy ograniczysz do minimum obszar, na którym okulary stykają się z twoją twarzą; w ciągu dnia możesz uzupełnić braki w makijażu – ale pamiętaj, żeby podczas poprawek kosmetyki wklepywać (i oczywiście nakładać je cienką warstwą).

Jeśli na co dzień używasz sypkiego podkładu mineralnego, to świetnie, bo jest to jedyny produkt, który można uzupełniać w ciągu dnia zupełnie bezkarnie. Korekty nie będą widoczne.

Brwi a okulary

Podczas noszenia okularów ważne jest wyraźne pod-kreślenie brwi (różnicę zauważysz, porównując oba zdjęcia). Mogą być one nawet nieco mocniej zazna-czone niż w makijażu osoby, która nie nosi okularów. Wszystko jedno, jakie masz oprawki – ich kształt i gru-bość nie są tutaj istotne.

Rób taki makijaż brwi, jaki lubisz najbardziej i jaki do ciebie pasuje. Ale uwaga: możesz pozwolić sobie na pełniejsze brwi niż inni. Cieniutkie brwi po założeniu okularów wydadzą się jeszcze bardziej nit-kowate.

Wiele kobiet wychodzi z założenia, że oprawki zastępują brwi lub je zasłaniają. To nieprawda. Żeby nasze oczy nie zniknęły za okularami, brwi muszą być ładnie podkreślone, wyregulowane i bez żadnych braków.

Rzęsy a okulary

Osoby o długich rzęsach lub noszące okulary, których szkła znajdują się blisko oczu, często skarżą się, że dotykają rzęsami szkieł. Po pierwsze, jest to bardzo nieprzyjemne uczucie, a po drugie, tusz się wykrusza i w rezultacie rzęsy tracą na wyrazistości.

Jeśli więc twoje rzęsy dotykają szkieł, a oprawki nie są źle dobrane, możesz uratować sytuację, po prostu mocno podkręcając rzęsy. Ten zabieg nie tylko rozwiąże problem, ale też sprawi, że twoje oczy będą wyglądały na bardziej otwarte.

Osobom podkręcającym rzęsy, żeby uniknąć dotykania nimi szkieł, polecam tusz nie tylko podkręcający, ale też wodoodporny. Taki kosmetyk nie osypuje się łatwo i lepiej utrzymuje skręt rzęs. Warto również użyć zalotki, o której zaletach i sposobie używania miałaś okazję poczytać w poprzednim rozdziale (zob. s. 114).

Rodzaj wady wzroku
a typ makijażu oka

Noszenie konkretnych rodzajów szkieł korekcyjnych sprawia, że robiąc makijaż, musisz brać pod uwagę określone złudzenie optyczne wywoływane przez twoje okulary. Jeśli jesteś krótkowidzem, to nosisz szkła popularnie zwane „minusami", które optycznie zmniejszają oczy. Jeśli natomiast jesteś dalekowidzem, nosisz „plusy", które lekko powiększają oczy.

Możliwe, że tłumaczę ci teraz coś, o czym sama już od dawna wiesz, ale chciałam, żebyśmy miały to czarno na białym – aby nie było żadnych wątpliwości co do działania optycznego poszczególnych typów szkieł. Poniżej znajdziesz zestaw trików i wskazówek zarówno dla krótko-, jak i dalekowidzów.

Sińce pod oczami a okulary

Wiele z nas ma przebarwienia w okolicy oczu, ale u osób noszących okulary mogą być one nieco mniej widoczne (zwłaszcza u dalekowidzów, noszących „plusy"). Jeśli jednak jesteś krótkowidzem i nosisz „minusy", warto skorygować zasinienia, bo dają one dodatkowe wrażenie głębszego osadzenia oczu. Sprawia to, że twarz wydaje się bardziej smutna i zmęczona.

Sińce w takiej sytuacji korygujemy minimalną ilością produktu i skupiamy się bardziej na dobraniu odpowiedniego koloru kamuflażu niż na nałożeniu grubej warstwy cielistego korektora. Korekcja taka nie różni się od tej, którą wykonujemy przy makijażu nie-uwzględniającym okularów (zob. s. 73–80).

„Minusy"

Tego typu szkła, jak wiemy, optycznie zmniejszają oczy, dlatego potrzebujemy trików na ich powiększenie. Nie chcemy, żeby oczy chowały się za oprawkami.

Zbierzmy tu wszystkie metody na powiększenie oczu makijażem, także te, które już wcześniej poznałaś. Makijaż powiększający składa się z następujących kroków:

- położenie na całą powierzchnię ruchomej powieki (oraz tuż nad nią) jasnego cienia bazowego [1];

- ewentualne zaznaczenie środka powieki lekko połyskującym cieniem;

- solidne, miękkie roztarcie nałożonych produktów (należy unikać ostrych linii, ponieważ optycznie zmniejszają oko);

- przyciemnienie zewnętrznego kącika oka i wyraźne wyciągnięcie go na zewnątrz i w górę (nie bój się przyciemniania, jeżeli jest to kącik zewnętrzny – to nie zmniejszy oka) [2];

- unikanie ciężkiej, grubej kreski; lepiej wybrać cieńszą, bardziej miękką i roztartą [3];
- zaznaczenie dolnej powieki ciemnym cieniem i dokładne jego roztarcie. Nie zapominaj o podkreśleniu dolnej powieki – ominięcie tego kroku optycznie pomniejszy oko; dolną powiekę podkreślamy delikatnie, ale nie ciężkim, bardzo ciemnym kolorem – kreska powinna zaczynać się przy zewnętrznym kąciku oka, sięgać jednej trzeciej długości powieki i gasnąć w miarę zbliżania się do kącika wewnętrznego [4];

- porządne wytuszowanie górnych rzęs – wcześniej możesz podkręcić je zalotką [5];
- tuszowanie dolnych rzęs – podobnie jak kreska na dolnej powiece, ten zabieg również nie pomniejsza oczu, daje wręcz odwrotny efekt;
- staranne podkreślenie brwi – ich łuk powinien być lekko uniesiony, a włoski wyregulowane; jak już pisałam – brwi wystające zza okularów mogą być nieco mocniej zaznaczone [6];

- nałożenie białej lub beżowej kredki (nigdy czarnej) na linię wodną [7];
- użycie mocnych, wyrazistych kolorów, przeciwstawnych wobec siebie na kole barw i podkreślających tęczówkę oka. One również sprawią, że oczy nie będą znikać za okularami i ładnie się otworzą;
- nie musisz też wzbraniać się przed wieczorowymi smokey eyes. Ciemne kolory świetnie będą się prezentować na oczach oprawionych w okulary, pod warunkiem że zadbasz o to, by środek powieki był świetlisty i jaśniejszy, oraz rozjaśnisz wewnętrzny kącik oka (zewnętrzny może być ciemny).

zrobione!

„Plusy"

Ten rodzaj szkieł nie stanowi zbyt dużego wyzwania, bo sam w sobie powiększa oczy, a każda z nas zazwyczaj do tego dąży. Czasem jednak „plusy" mogą stanowić problem, szczególnie kiedy są bardzo mocne. Wtedy oczy wydają się zbyt duże lub zbyt wypukłe (przykładowo gdy masz szkła o mocy powyżej +2 dioptrii).

Dlatego jeśli uważasz, że nosząc okulary dla dalekowidzów, potrzebujesz korekcji wyglądu twojego oka, możesz zastosować następujące triki:

- wykonanie minimalistycznego makijażu oka (zawsze w matowych lub ewentualnie satynowych kolorach – unikaj mocnego, metalicznego połysku);
- śmiałe stosowanie ciemniejszych kolorów (na przykład złamanego brązu); tutaj również pasuje satyna lub mat – nic więcej;
- pomalowanie całej powieki ciemnym cieniem – nie musisz zostawiać jasnego wewnętrznego kącika oka czy też środka powieki [1];
- rezygnacja z malowania dolnej powieki lub bardzo delikatne jej zaznaczenie [2];
- zaznaczenie ciemnym cieniem linii wodnej – możesz zrobić to bardzo wyraziście (pamiętaj, że oprócz czarnego sprawdzi się też brąz, granat i butelkowa zieleń) [3].

zrobione!

Makijaż ust
a okulary

Na koniec kilka słów o makijażu ust dla osób noszących okulary. Tutaj możesz zaszaleć – przepięknie wyglądają na przykład wyraziste oprawki i mocno podkreślone usta. Takie zestawienie daje bardzo kobiecy efekt i jest stosowne nawet w makijażu na dzień. Niezależnie od tego, czy nosisz „plusy" czy „minusy" i jakie masz oprawki – nie bój się podkreślać ust.

Taki zabieg zapewni efekt równowagi: obecność okularów – wyraźnego akcentu na górnej partii twarzy – zostanie zrównoważona wyraźnym akcentem, jakim w jej dolnych partiach będą mocno umalowane usta. Niezależnie od tego, czy robisz makijaż dzienny czy wieczorowy, połączenie mocno zaznaczonych ust z oprawkami okularów zapewni bardzo dobry rezultat – o czym możesz się przekonać, patrząc na fotografie poniżej.

O makijażu ust powiemy sobie oczywiście więcej w dalszej części tej książki, ale najpierw zajmiemy się brwiami. Zapraszam cię do następnego rozdziału.

Brwi –
nie taki diabeł straszny!

Rama twarzy

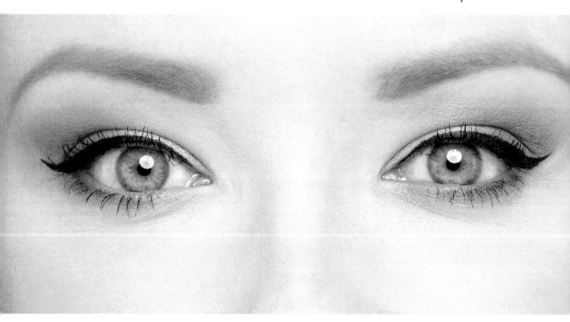

Brwi to bardzo ważny temat – ich kształt i kolor znacząco wpływają na to, jak wygląda twoja twarz i jak postrzegają ją inni. Jest to naprawdę trudne zagadnienie i długo pozostawało takie również dla mnie. Ale zgłębiałam je długo i dzisiaj już sporo wiem o regulacji brwi. Przyznaję, że zdobywanie tej wiedzy zajęło mi dużo czasu, choć dzisiaj już wiem, że można ją przyswoić dość szybko, o czym chcę przekonać również ciebie.

Trzy linie?

Na piękny wygląd brwi składa się wiele elementów, ale najważniejsze są dwie kwestie: kształt brwi i jego prawidłowe wyznaczenie.

Zaczniemy od kształtu brwi – i przy okazji obalimy kilka mitów… Najprostszy sposób wyznaczania kształtu brwi to słynne trzy linie, które na pewno widziałaś już w niejednym poradniku:

- pierwsza z nich wyznacza początek brwi, przebiega od płatka nosa do wewnętrznego kącika oka;
- druga linia wyznacza miejsce załamania brwi, przebiega od płatka nosa przez środek źrenicy;
- trzecia linia wyznacza natomiast koniec brwi i biegnie od płatka nosa przez zewnętrzny kącik oka.

Ten podział jest równie popularny, co niepraktyczny. To metoda szkolna, teoretyczna – zakładająca, że twarz każdej osoby ma takie same proporcje. Sposób ten nie jest jednak uniwersalny i nie sprawdza się we wszystkich przypadkach. Wystarczy spojrzeć na zdjęcie obok – brwi modelki są dobrane do kształtu twarzy i typu urody, a nie jest to zgodne z przebiegiem linii. Jedynym elementem niezależnym od naszej anatomii jest linia trzecia, wyznaczająca końcówkę brwi.

Nasze twarze różnią się od siebie, nie ma sensu przykładanie do nich tego samego szablonu. Każda z nas jest inna, ma inne proporcje twarzy i odmienny

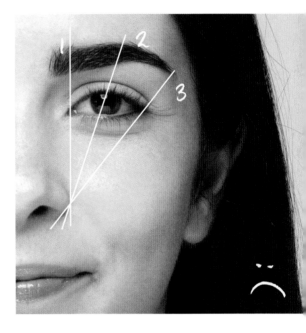

typ urody (uroda klasyczna jest przecież tylko jednym z wielu typów kobiecego piękna). Każda z nas może mieć idealne brwi, dopasowane do swojej twarzy, ale nie osiągnie tego, stosując metody oparte na teoretycznych regułach, niekoniecznie przekładających się na praktykę i rzeczywistość. Jeden zbiór zasad nie może się sprawdzać w każdych okolicznościach, więc – poza kwestią trzeciej linii – traktujmy go tylko jak sugestię.

Nie trzymając się sztywno reguły trzech linii, można, operując kształtem brwi, zmienić postrzeganie pozostałych części twarzy – na przykład optycznie zwęzić lub poszerzyć nos. Jeśli chcesz go nieco zwęzić, bardziej zbliż do siebie obie brwi. I odwrotnie – jeśli chcesz go nieco poszerzyć, oddal brwi od siebie. Oczywiście pamiętaj, że muszą to być subtelne różnice (najwyżej 1–2 mm). Spójrz na dwa zdjęcia powyżej – różnią się tylko rozstawem moich brwi.

Uwolniłyśmy się od starych zasad wyznaczania kształtu brwi – teraz czas ustanowić nowe. Wiesz, jak znaleźć miejsce zakończenia brwi, ale został nam jeszcze ich początek i załamanie.

Wyznaczając początek brwi przy nasadzie nosa, najlepiej sugerować się wysokością wewnętrznego kącika oka i metodą prób i błędów sprawdzać (przesuwając się milimetr bliżej lub dalej w przestrzeni między brwiami), która opcja wygląda lepiej. To jest też odpowiedni moment na optyczne zwężenie lub poszerzenie nosa.

Jeśli chodzi o drugą linię, czyli wyznaczenie miejsca, w którym łuk brwi powinien znajdować się najwyżej, warto zastosować zasadę, że brew załamuje się w dwóch trzecich swojej długości. Czyli dwie trzecie brwi się wznoszą, a jedna trzecia opada w stronę skroni. Dzięki temu osiągniesz najlepszy efekt.

Innymi słowy, kolejność czynności związanych
z wyznaczaniem kształtu brwi jest następująca:

1 metodą prób i błędów wyznacz
początek brwi;

2 stosując się do reguły trzech linii,
wyznacz ich koniec;

3 w dwóch trzecich długości brwi (licząc od ich
wewnętrznej krawędzi) wyznacz punkt ich załamania. Nie warto wyznaczać tego miejsca przez przy-
łożenie linii biegnącej od płatka nosa przez środek źrenicy, bo jeśli mamy blisko osadzone oczy, to owo miejsce wypadnie mniej więcej w połowie długości brwi,
a to nie będzie dobrze wyglądało. Dlatego łamiemy
stare zasady, a w ich miejsce ustanawiamy nowe!

Zestaw małej
majsterkowiczki

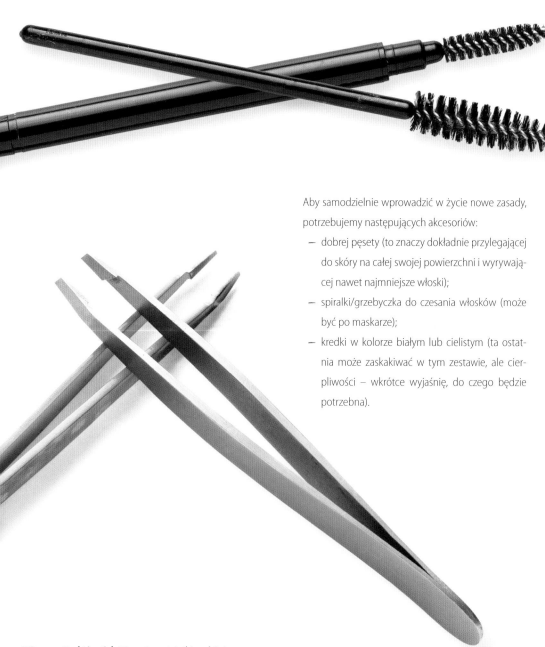

Aby samodzielnie wprowadzić w życie nowe zasady, potrzebujemy następujących akcesoriów:

— dobrej pęsety (to znaczy dokładnie przylegającej do skóry na całej swojej powierzchni i wyrywającej nawet najmniejsze włoski);

— spiralki/grzebyczka do czesania włosków (może być po maskarze);

— kredki w kolorze białym lub cielistym (ta ostatnia może zaskakiwać w tym zestawie, ale cierpliwości – wkrótce wyjaśnię, do czego będzie potrzebna).

Najczęstsze problemy (i ich rozwiązania)

Zanim przejdziemy do kolejnego etapu kształtowania naszych brwi, zatrzymajmy się jeszcze na chwilę przy najczęściej spotykanych problemach z określeniem ich właściwego kształtu. Taka diagnoza wcale nie jest łatwa… Czasem patrzymy na swoje brwi w lustrze i coś nam w nich nie pasuje, ale nie wiemy co. Dlatego chciałabym nazwać najczęstsze problemy z nadawaniem kształtu brwiom, pokazać je, ale przede wszystkim zaproponować sposoby na ich rozwiązanie.

Aby lepiej zrozumieć, jak bardzo kształt brwi potrafi zmienić odbiór twarzy, przygotowałam zestawienie ich różnych wersji – specjalnie na tej samej fotografii, z neutralną miną.

Oto lista pięciu najczęstszych problemów z kształtem brwi:

1. Zbyt grube brwi.
Ten problem najłatwiej wyeliminować, ponieważ musisz po prostu usunąć pęsetą zbędne włoski.

2. Brwi zbyt cienkie

Tutaj też rozwiązanie jest proste, choć wymaga cierpliwości: musisz poczekać, aż brakujące włoski odrosną. W tym czasie jednak nie jesteś skazana na bierne oczekiwanie. Brakujące miejsca uzupełnij odpowiednio do tego celu dobranymi produktami, o czym za chwilę szerzej opowiem.

3. Brwi za mocno wyskubane na początkach lub na końcach,

czyli po prostu za krótkie. Tutaj rozwiązanie jest takie samo jak przy brwiach zbyt cienkich.

4. „Plemniki".

Popularne określenie na brwi, które są grube na początkowym, króciutkim odcinku, a potem robią się bardzo cienkie. Tutaj również musisz dać im szansę na odrośnięcie, a do tej pory ratować się domalowywaniem brakujących włosków.

5. Brwi zbyt płaskie, bez wyraźnego łuku.

Tu już sprawa nieco się komplikuje, bo musisz operować i pęsetą, i produktem do wypełnienia brwi. Ale spokojnie: najpierw lekko skoryguj ich kształt przez usunięcie dolnej, zbyt płaskiej części, a następnie lekko domaluj górę, aby powstał ładny łuk. Bądź ostrożna: różnica między dawnym a nowym kształtem zwykle wynosi 2 mm.

Zrób to sama

Teraz możemy już przejść do kolejnych czynności, które wykonujemy w celu uzyskania pożądanego kształtu brwi. Zależy mi na tym, żeby podpowiedzieć ci, co robić – krok po kroku, abyś mogła nadać swoim brwiom kształt, który będzie zdobił twoją twarz. Na początku przyda się wspomniana cielista lub biała kredka.

1 Użyj jej nietypowo i obrysuj nią brwi. Narysuj cały ich zewnętrzny kontur. To może się wydawać dziwne, ale dzięki takiemu zabiegowi wyznaczysz i zobaczysz nowy kształt brwi – ten, który chcesz im nadać. Główną zaletą tego sposobu jest jego nieinwazyjność: pozwala na zobrazowanie nowego kształtu brwi jeszcze przed jego nadaniem. Jeśli się okaże, że nie jesteś z niego zadowolona, łatwo możesz zmyć kredkę i nakreślić nowy kształt jeszcze raz, bez żadnych konsekwencji.

Jeśli jakiś włosek znajduje się na granicy twojej linii demarkacyjnej i zastanawiasz się: wyrwać czy zostawić – zawsze w takiej sytuacji lepiej go zostawić. W momencie zmycia kredki można ten kontrowersyjny włosek usunąć – a dodanie usuniętego włoska nie będzie możliwe. Zawsze lepiej wyrwać za mało niż za dużo.

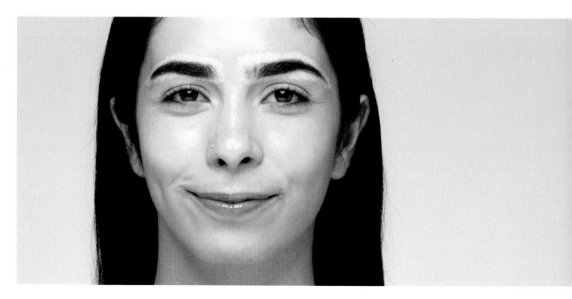

2 Nadal używając cielistej lub białej kredki, obrysuj drugą brew, starając się, aby jej kształt był jak najbardziej podobny do kształtu pierwszej.

Brwi muszą być do siebie podobne, choć nie muszą być identyczne. Niech to nie będą idealne odbitki, ale też nie mogą się od siebie różnić. Tak jak kiedyś powiedziałam – brwi to siostry. Może nie bliźniaczki – ale na pewno nie dalekie kuzynki…

I jeszcze jedno – nie przejmuj się tym, że w niektórych miejscach nie rosną włoski. Czasem brwi są przerzedzone, niekiedy nierównomiernie. Czasem jedna jest ładna i pełniejsza, a druga rzadsza, zdarzają się przerwy we włoskach lub blizny. Często to kwestia genów. Na razie, na etapie cielistej kredki, nie przejmuj się tym. Kobiety wychodzą z założenia, że ich wymarzony kształt brwi jest nieosiągalny, ponieważ natura nie obdarzyła ich gęstymi lub ciemnymi włoskami. To nieprawda! Chcę ci pokazać, jak uzyskać brwi o idealnym kształcie niezależnie od tego, jakie były do tej pory. Dlatego będziemy zarówno usuwać włoski, których być nie powinno, jak i domalowywać te, których brakuje.

Jeśli jakieś włoski są zbyt długie i wystają poza idealny kształt brwi (najczęściej zdarza się to w miejscu najbardziej zbliżonym do nosa), to ich nie wyrywamy, ale przycinamy małymi nożyczkami.

3 Teraz chwyć za pęsetę i wyrwij zbędne włoski, czyli te, które wystają poza wyznaczony kredką kształt.

Wszystkie! Nie tylko te na dole – te na górze również. Pokutuje stary mit, że nie wolno wyrywać drobnych włosków znajdujących się nad łukiem brwiowym, tylko te pod nim, ponieważ można uszkodzić nerwy. Nie wiem, skąd się wziął ten pogląd. Nie ma żadnych wynikających z anatomicznej budowy skóry i okolic oka przeciwwskazań do regulacji brwi przez wyrywanie włosków zarówno na górze, jak i na dole. Zatem do dzieła!

4 Przeczesz włoski. Do tego służą spiralka lub grzebyczek, które równo je układają. Możesz też zastosować żel do układania brwi (będzie o nim mowa niżej).

Ważny jest tutaj kierunek przeczesywania: zgodnie z kierunkiem wzrostu włosa, czyli od wewnątrz na zewnątrz brwi. Włoski przy nasadzie nosa rosną w górę, więc te okolice czesz, również przesuwając grzebyczek do góry, a pozostałe – na zewnątrz.

5 Zapuść włoski tam, gdzie ich nie ma, a gdzie być powinny. Czekaj cierpliwie – z czasem odrosną.

Najskuteczniejszym sposobem sprawdzenia symetryczności brwi jest pochylenie głowy i popatrzenie na siebie w lustrze (lekko spod byka). Wtedy najlepiej będzie widać małe nierówności, których nie zobaczysz, patrząc na siebie na wprost.

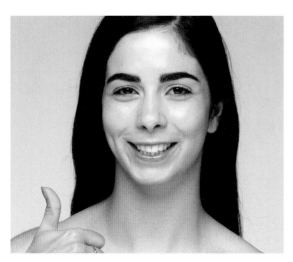

6 Tymczasem ratuj się, domalowując brakujące włoski. W jaki sposób? Będzie o tym mowa niżej.

Jeśli masz problem z nadaniem brwiom symetryczności, wykonuj poszczególne czynności etapami na obu brwiach na zmianę. Unikaj sytuacji, w której najpierw korygujesz w całości jedną brew, a dopiero później drugą.

Łatanie dziurek

Zanim nasze brwi odrosną w miejscach do tej pory niekorzystnie regulowanych, na pewno nie musimy biernie czekać. Mamy wiele możliwości uzupełniania braków we włoskach i wiele produktów do wyboru. Niektóre z nich przeznaczone są właśnie do tego, inne nie – ale też się sprawdzają:

1 Kredki

Zwykle kredki przeznaczone do brwi zawierają woski, co sprawia, że jednocześnie nadają brwiom oczekiwany kolor i trzymają włoski w ryzach. Produkty te często są dwustronne: z jednej strony znajduje się

kredka, a z drugiej grzebyczek, którym po umalowaniu można przeczesać brwi. W ten sposób nie tylko je ułożysz, ale też wyczeszesz z nich ewentualny nadmiar produktu. Dzięki temu kolor będzie wyglądać bardziej naturalnie, bo stopi się ze skórą (to właśnie po skórze malujemy – nie po włoskach, zwłaszcza że w niektórych miejscach możemy ich zwyczajnie nie mieć).

2 Cienie

Niektóre są przeznaczone do brwi, inne do powiek – ale obu produktów można używać do malowania brwi. Z doświadczenia wiem jednak, że cienie

do brwi są bardziej trwałe. Jedyne, o czym musisz pamiętać, jeśli zdecydujesz się na użycie cieni do powiek, to wybór matowych kolorów.

Cień nakładaj skośnym, płaskim pędzelkiem. Krótkimi ruchami uzupełnij rysunek brwi, a następnie użyj grzebyczka, żeby lepiej rozprowadzić produkt, uzyskując bardziej naturalny efekt.

3 Produkty kremowe

Ostatnio bardzo popularne, kiedyś były praktycznie nieobecne na rynku. Formułą przypominają eyelinery – ale przeznaczone są do brwi. Od pozostałych produktów z tej listy różnią się nie tylko konsystencją, ale też tym, że są najbardziej precyzyjne. To dobra opcja zwłaszcza dla osób, którym zależy na domalowaniu pojedynczych włosków. Są też bardzo trwałymi produktami, często wodoodpornymi.

4 Żele do brwi

Zazwyczaj przezroczyste, ale niekiedy delikatnie barwione. Przeznaczone są raczej dla osób, którym zależy tylko na utrzymaniu włosków w ryzach, nie na znacznym ich przyciemnieniu. Ładnie nabłyszczają brwi, nadają im zdrowy blask. Mogą być stosowane samodzielnie lub z innym produktem (z kredką, cieniem czy produktem kremowym).

Zamiast żelu do brwi możemy używać zwykłego… żelu do włosów. Serio.

5 Woski do brwi

Również zwykle są produktami przezroczystymi, czasem lekko barwionymi. W działaniu przypominają żele do brwi, ale są przeważnie mocniejsze.

Kolor –
czyli sprawa najważniejsza

Kiedy już wybrałaś najodpowiedniejszy dla siebie produkt, musisz jeszcze zastanowić się nad jego kolorem. Jest to o tyle ważne, że przy korekcie brwi szczególnie zależy nam na sprawieniu wrażenia, że nic z nimi nie zrobiłyśmy, nic nie domalowałyśmy, że nasze brwi naturalnie są takie idealne.

Taki efekt zapewni nie tyle formuła produktu, co jego kolor, a konkretnie jego umiejętny dobór. Wybór formuły może być podyktowany twoimi upodobaniami i wygodą użytkowania. Wybierając kolor, musisz być o wiele bardziej precyzyjna.

Najczęstszy błąd dotyczy wyboru waloru barwy. Oznacza to, że czasem kobiety wybierają kolor zbyt jasny lub zbyt ciemny (częściej zbyt ciemny…). Wbrew pozorom nie powinnaś wybierać produktu w naturalnym kolorze twoich brwi lub w kolorze, w jakim chciałabyś, żeby one były, ale o około dwa tony jaśniejszy. To zapewni uzyskanie właściwego, najbardziej korzystnego efektu.

Dobierając kolor, pamiętaj, że brwi powinny pasować kolorystycznie do twoich włosów (oczywiście nie dotyczy to włosów w kolorach niestandardowych – w takiej sytuacji najlepiej zdecydować się na zimne brązy lub delikatne, złamane szarości). Jeśli jednak chodzi o włosy w naturalnych odcieniach,

dla blondynek

dla szatynek

dla brunetek

na przykład brązu, blondu i innych, to brwi dobieramy pod ten właśnie kolor. I jeszcze jedna uwaga: jest on warunkowany przez kolor włosów przy skórze głowy – nie kolor końcówek. Włosy przy końcówkach często są dużo jaśniejsze niż u nasady, niekiedy lekko wypłowiałe, a nam zależy na tym kolorze, który nasze włosy mają tuż przy skórze głowy.

Oprócz waloru koloru warto też zwrócić uwagę na jego ton, czyli na to, czy jest on ciepły czy zimny. Najbardziej uniwersalnym wyjściem jest wybór koloru zimnego – unikajmy odcieni ciepłych! Nawet u kobiet naturalnie rudych brwi w ciepłym kolorze będą wyglądać jak pomarańczowe… choć wydaje się, że do miedzianych włosów pasują kolory ciepłe, prawda? Nic z tych rzeczy. Nawet jeśli masz włosy pofarbowane na ekstrawagancki kolor, na przykład intensywnie pomarańczowy czy czerwony – brwi pozostaw chłodne lub neutralne. Inaczej będą

Nigdy nie farbuj brwi na czarno. Nigdy! Nawet jeśli twoje włosy są naturalnie czarne, na brwiach najlepiej sprawdzi się kolor ciemnej czekolady lub złamanej szarości.

wyglądały – dosłownie – jak doklejone. Dla ułatwienia poniżej pokazuję ci pełen przekrój kolorów produktów do brwi z podziałem na tony.

Wypełniając braki, zacznij od podkreślenia dolnej linii brwi, ponieważ jest ona najważniejszą ich częścią, decydującą o kształcie.

Gdy już to zrobisz, możesz zająć się wypełnianiem reszty brwi, ale z jednym zastrzeżeniem: włoski tuż przy nosie maluj na końcu. Robi się tak dlatego, że kończąc malowanie, najczęściej masz już

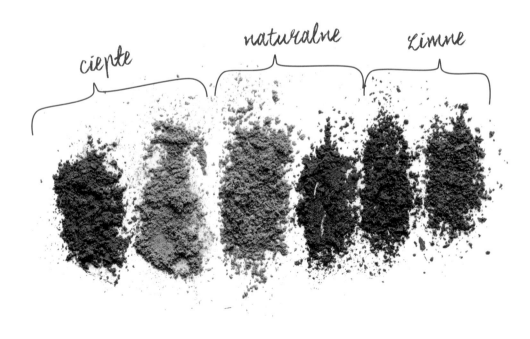

niewiele produktu na pędzelku, a dzięki temu nie domalujesz sobie przez przypadek zbyt mocnej, „srogiej" brwi.

Na koniec obejrzyj efekt swojej pracy i jeśli masz wrażenie, że nałożyłaś zbyt dużo kosmetyku i brwi są zarysowane zbyt mocno – wyczesz jego nadmiar grzebyczkiem. Uważaj zwłaszcza na to, żeby brwi nie wydawały się zbyt kanciaste (szczególnie tuż przy nosie). Również jeśli górną linię zaznaczyłaś zbyt mocno, wyczesz ją grzebyczkiem. Pamiętaj – efekt powinien być jak najbardziej naturalny.

Na koniec warto wspomnieć o hennie. To naj-popularniejszy zabieg wykonywany na brwiach w salonach kosmetycznych (może oprócz regula-cji). Polecam go, ponieważ zapewnia ładnie podkre-ślone brwi na 2–3 tygodnie, co jest zwyczajnie bar-dzo wygodne.

Jest to zabieg przeznaczony głównie dla osób o brwiach pełnych, ale jasnych. Jeśli ktoś ma duże braki we włoskach, to henna nie zabarwi zbyt dobrze skóry – wbrew temu, co się czasem słyszy, henna barwi przede wszystkim włoski.

I tutaj jeszcze jedna ważna uwaga – jeśli nie czujesz się pewnie w nadawaniu kształtu brwiom i nie masz jeszcze doświadczenia, odradzam ci robienie henny samodzielnie. Lepiej zostawić to doświadczonej kosmetyczce (najlepiej poleconej przez zaufaną osobę).

Makijaż brwi to ostatnie zagadnienie związane z oprawą oczu. Było ich sporo, ale to nie znaczy, że wolno nam zapomnieć o moim ulubionym elemencie makijażu, którym oczywiście są usta. To im poświęcam ostatni rozdział.

Oto moje filmy na temat upiększania brwi. Obejrzyj je, jeśli chcesz poszerzyć swoją wiedzę.

Trzy sposoby podkreślania brwi cieniem
http://www.redlipstickmonster.pl/tajniki/podkreslanie-brwi.html

Metamorfoza brwi Pauliny
http://www.redlipstickmonster.pl/tajniki/brwi-pauliny.html

Metamorfoza brwi Oli
http://www.redlipstickmonster.pl/tajniki/brwi-oli.html

Jak zrobić hennę brwi?
http://www.redlipstickmonster.pl/tajniki/henna-brwi.html

Jak podkreślać brwi kredką?
//www.redlipstickmonster.pl/tajniki/podkreslanie-brwi-kredka.html

Idealne brwi z Aqua Brow
http://www.redlipstickmonster.pl/tajniki/aqua-brow.html

Jak samodzielnie regulować brwi?
http://www.redlipstickmonster.pl/tajniki/samodzielna-regulacja-brwi.html

Jak dobrać kształt brwi?
http://www.redlipstickmonster.pl/tajniki/ksztalt-brwi.html

Korekta kształtu ust

oraz dobór koloru pomadki

Małe, niesymetryczne lub wąskie usta to problem większości kobiet. Sama dałam sobie wmówić, że jako posiadaczka cienkich i niewielkich ust jestem skazana wyłącznie na subtelne, delikatne kolory pomadek, a żadna wyrazista barwa nie będzie dla mnie odpowiednia. Dzisiaj usta w mocnych kolorach są moim znakiem rozpoznawczym…

Wszystko jest możliwe, niezależnie od tego, jaki jest twój wyjściowy kolor i kształt ust, o czym przekonasz się, czytając ten rozdział. Naturalny kontur ust jest tylko sugestią – jeśli ci nie odpowiada, możesz go zmienić tylko i wyłącznie za pomocą produktów do makijażu.

Ale powolutku. Żeby mieć ładnie umalowane usta, musisz najpierw zadbać o ich właściwą pielęgnację. Aby były piękne i zdrowe, nie możesz dopuścić do ich przesuszenia, przygryzać warg czy skubać skóry na nich. Mój patent na piękne usta to krótki rytuał pielęgnacyjny, który wykonuję codziennie wieczorem, używając peelingu własnej roboty i mocno nawilżającego balsamu.

Luksus
nie dla każdego?

Jeśli chcesz, możesz oczywiście kupić gotowy peeling, ale zrobienie go samodzielnie wcale nie jest trudne. Oto mój przepis na szybki peeling do ust: cukier (biały lub brązowy) połącz z dowolnym olejem (może to być olej z pestek winogron, kokosowy, oliwa z oliwek i tym podobne) w proporcji dwa do jednego. Czyli na przykład do łyżeczki cukru dodajesz pół łyżeczki oleju, tak aby uzyskać konsystencję mokrego piasku. Opcjonalne dodatki to cynamon, wiórki kokosowe, kropelka olejku zapachowego.

Taki peeling wkładam do małego słoiczka, zostawiam w łazience i wykorzystuję codziennie przy

wieczornej pielęgnacji. Masuję przez chwilę usta palcem, a potem zbieram nadmiar peelingu (albo zlizuję, ale tutaj mała uwaga – jeśli zlizujecie peeling, to przed nałożeniem balsamu umyjcie zęby).

Olej, który pozostał na ustach po peelingu, zadziała na nie korzystnie, ale warto uzupełnić go odżywczym i nawilżającym balsamem. Jeśli chodzi o wybór produktu, kieruj się własnym gustem – nałóż taki, jaki najbardziej lubisz. Ważne jest tylko, żeby było go dużo. Może to być produkt ciężki, możesz też śmiało nałożyć go także poza linią ust – do rana i tak całkowicie się wchłonie, a twoje wargi będą jak nowe. Wieczorem używaj preparatów odżywczych – te, których głównym atutem jest smak czy zapach, zostaw do pielęgnacji w ciągu dnia.

Narzędzia zbrodni

Zadbałyśmy już o odżywienie ust, a teraz pokażę ci, w jaki sposób nadać im idealny kształt i kolor. Przyjrzyjmy się najpierw popularnym produktom do makijażu ust.

1 **Pomadki**

Klasyka gatunku. Mamy wiele odmian pomadek do wyboru – zacznijmy od matowych, które są najbardziej kryjące. Tego rodzaju pomadek używamy, kiedy chcemy zmienić optycznie kształt ust. Na przykład obrysować je minimalnie poza ich konturem, aby nadać im pełniejszy wygląd (jeśli tę sztuczkę wykonamy produktem błyszczącym, domalowanie będzie widoczne). Ten rodzaj pomadek jest też dobry dla posiadaczek długich włosów, które często wiatr zwiewa na twarz. Włosy do pomadki matowej nie przykleją się tak szybko, jak do błyszczyka. Produkty matowe są także bardziej trwałe. Nie polecam ich jednak osobom, które mają problem z przesuszonymi ustami, ponieważ wszystkie matowe pomadki lekko wysuszają skórę.

Pomadki satynowe nadają ustom lekki, naturalny blask, zapewniający efekt wilgotnych ust. To największa i najpopularniejsza grupa pomadek. Ich kolor może być mocny i wyrazisty. Są nieco mniej trwałe

niż produkty matowe, ale za to bardziej komfortowe w użytkowaniu. Często oprócz pięknego koloru zapewniają wargom pielęgnację.

Ostatnia grupa to pomadki perłowe (albo metaliczne). Są bardzo błyszczące, z dodatkiem połyskujących drobinek. Ich stosowanie bywa ryzykowne – łatwo można niezamierzenie osiągnąć efekt lekko tandetnego wyglądu.

2 Błyszczyki

Są to produkty bardziej płynne – mogą być zarówno transparentne, jak i kolorowe. Zwykle są półprzezroczyste, tylko lekko barwione, ale zdarzają się też wersje w pełni kryjące. Mają tę zaletę, że można je szybko poprawić w ciągu dnia bez użycia lusterka. Błyszczyki można stosować jako oddzielny produkt albo łączyć z innymi kosmetykami, między innymi z pomadką – na przykład kładąc błyszczyk na matową pomadkę, dodasz jej trochę blasku.

3 Konturówki

Jeśli chodzi o wybór kredek obrysowujących kontur ust, najlepiej wybierać takie, które są trwałe, ale miękko się rozprowadzają. Warto przetestować je przed kupnem, nawet na dłoni, żeby się przekonać, czy spełniają nasze oczekiwania.

Konturówka nie musi być idealnie dopasowana do koloru pomadki, jak to się czasem sugeruje. Ponadto można stosować ją jako samodzielny produkt matowy, całkowicie wypełniając nią usta. Konturówka użyta w ten sposób pozwoli wykonać bardzo trwały makijaż. Do jej nałożenia nie potrzeba żadnego pędzelka. Jeśli masz ochotę, możesz na nią nałożyć odrobinę błyszczyka, zmieniając wykończenie makijażu.

Jeśli używasz pomadek w wyrazistych, mocnych kolorach, zawsze miej przy sobie lusterko kieszonkowe i kosmetyk, którym w ciągu dnia będziesz mogła poprawić makijaż ust. Polecam też picie napojów przez słomkę.

Delikatnie czy z pazurem?

Chciałabym, żeby kobiety nie bały się koloru! Dobór kolorowego kosmetyku do ust wcale nie jest trudny i można to zrobić samodzielnie. Bezpieczny, półprzezroczysty błyszczyk możesz odstawić na bok, jeśli zdążył cię już znudzić. Nadszedł czas na kolor!

Jak zwykle mamy kilka możliwości.

Kolor cielisty, naturalny

Idealny wybór na co dzień oraz do ciemniejszego, wieczorowego makijażu oka. Wydaje się bezpieczną alternatywą dla pomadek w intensywnych kolorach, ale to tylko pozory. Moim zdaniem poziom trudności wyboru pomadki w zgaszonym odcieniu i tej bardziej odważnej jest dokładnie taki sam.

Podstawowy błąd, jaki możesz popełnić, to wybranie koloru zbyt jasnego lub zbyt zimnego.

Użycie takiej pomadki spowoduje, że będziesz wyglądać niezdrowo. Spłaszczy optycznie twoje usta albo – co gorsza – będziesz wyglądać, jakbyś pomalowała wargi korektorem. Aby temu zaradzić, nie wybieraj koloru jaśniejszego od koloru ust o więcej niż dwa tony. Warto też korzystać z konturówek lekko ciemniejszych od pomadek. Subtelnie obrysuj nimi usta – wtedy wargi stają się bardziej „przestrzenne", wymodelowane, nadal pozostając jasne. Mają wtedy zaznaczony swój kształt. Pamiętaj, że ciemniejszy kontur musi bardzo gładko przechodzić w jaśniejszy kolor we wnętrzu ust. Uzyskasz ten efekt, pokrywając konturówką także obszar graniczący z obrysem ust.

Uważaj też na zimne odcienie – ich nieumiejętne stosowanie to kolejny często popełniany błąd. Nasze usta najczęściej mają zimny odcień, podczas gdy większość typów urody jest neutralna lub ciepła.

Dlatego najlepiej wybierać pomadki neutralne lub lekko ciepłe (na przykład zgaszone róże, brzoskwinie i inne), aby usta nie różniły się temperaturą barw od koloru twarzy.

Świetnie sprawdza się zastosowanie zarówno pomadek, jak i błyszczyków dających kolor. Możesz śmiało połączyć te dwa rodzaje produktów.

Nie zapominaj o ustach, nawet kiedy większą wagę przykładasz do podkreślenia oczu. Wiele kobiet wykonuje pełny makijaż oczu i twarzy, a na usta nakłada tylko bezbarwną pomadkę ochronną. Lepiej wspomóc się wtedy chociaż konturówką

i kolorem cielistym – wtedy kształt ust nie zatraci się w reszcie twarzy.

Wyraźny, intensywny kolor (czerwony, różowy, bordo...)

Niezależnie od twojego typu urody, zawsze znajdzie się taki odcień różu, brzoskwini, czerwieni, fioletu czy bordo, który będzie do ciebie pasować. I nie daj sobie wmówić, że jest inaczej. Cały problem polega na tym, by znaleźć odpowiedni do twojego typu urody ton i odcień danego koloru. Jest ich tak wiele, że na pewno znajdziesz coś dla siebie.

Dobór koloru

W różnego rodzaju poradnikach pojawiają się zwykle pewne sztywne podziały, z którymi staram się walczyć. Często możesz przeczytać, że zależnie od typu urody (ciepły, zimny i tak dalej) coś ci wolno, a coś innego jest zabronione. Takie rady sprawdzają się tylko w przypadku jednoznacznych, czystych typów urody, a i to tylko wtedy, kiedy jesteśmy całkowicie naturalne: nie opalamy się, nie farbujemy włosów i zawsze chodzimy w tych samych ubraniach...

Jak widzisz, teoretyczne podziały są zazwyczaj nieprzydatne, ponieważ każda z nas coś w sobie zmienia. Nie jestem zwolenniczką odgórnie narzuconych zasad – wyznacznikiem prawidłowego wyboru koloru powinno być to, jak się z nim czujesz, a nie to, co mówi ktoś zupełnie ci nieznany.

Jest tylko jeden czynnik istotny przy doborze pomadki: odcień naszej skóry. Tylko to powinnyśmy brać pod uwagę. Ogólna zasada mówi, że ciepłym typom urody pasują ciepłe kolory pomadek, a zimnym – zimne. To się zazwyczaj sprawdza, ale nie zawsze. Dlatego nie możesz sztywno trzymać się tej zasady. Przecież prawie nikt nie jest idealnym typem zimnym albo ciepłym.

Co wobec tego zrobić? Zaufać intuicji! Sama widzisz, w czym wyglądasz dobrze. Komu ma się przede wszystkim podobać twój makijaż, jeśli nie tobie? Zdaj się na własny gust lub radę najlepszej przyjaciółki, która wspomoże cię w chwili zwątpienia.

Poszukując odpowiedniego koloru pomadki, możesz uzbroić się w następujące porady:

- wykonaj taki makijaż, w jakim będziesz nosić dany produkt (dzienny lub wieczorowy). Odbiór koloru zależy od tego, co mamy na twarzy;
- przyda ci się lusterko, w którym będziesz widziała co najmniej całą twarz;
- miej przy sobie chusteczki dezynfekujące, aby w razie potrzeby oczyścić testowany produkt; jeśli nie możesz zdezynfekować pomadek, przetestuj wybrane kolory, malując nimi opuszki palców i przykładając je do twarzy na wysokości ust;
- kiedy już znajdziesz swojego faworyta, przyłóż wysuniętą pomadkę do ust (nie testuj jej na zewnętrznej części dłoni!);
- ostateczny test przeprowadź na ustach i zawsze sprawdzaj kolor w świetle dziennym (wystarczy na chwilę wyjść z drogerii) – to ono decyduje o ostatecznym, bo prawdziwym wyglądzie danego kosmetyku na wargach.

Korekta kształtu ust

Zakupy zrobione? W takim razie możemy się zabierać za nadanie ustom idealnego kształtu. Jak go korygować, by uzyskać ten wymarzony?

1 Przede wszystkim pamiętaj, że malowanie ust to ostatni etap wykonywania makijażu.

2 Warto przygotować usta do malowania, rozprowadzając odrobinę podkładu nie na całych wargach, ale na ich granicy. To zatrzyma pomadkę na miejscu

i stworzy dobrą bazę do pracy z kolorem. Oczywiście nie wklepuj podkładu specjalnie w usta – malując twarz, po prostu najedź lekko podkładem na ich kontur.

3 Nowy kształt ust narysuj konturówką albo pomadką (przy użyciu ściętego pędzelka). Niezależnie od tego, jaki jest twój naturalny kształt ust – narysuj go teraz od nowa. Jeśli masz usta zbyt duże, delikatnie obrysuj ich kontur po wewnętrznej stronie, jeśli zbyt małe – po zewnętrznej. W przypadku ust

usta w swoim naturalnym kształcie

usta z odrobiną podkładu

niesymetrycznych, w jednych miejscach wyjdź poza ich naturalny kontur, w innych zostań w jego obrębie, tak aby uzyskać wrażenie symetrii warg. Oczywiście różnice muszą być subtelne, najwyżej jeden milimetr! Zawsze też zostawiaj w spokoju kąciki ust – nie powiększaj ich ani nie zwężaj w żaden sposób (zob. s. 43).

Ciemniejszy, matowy kolor nałożony na zewnętrzną część ust optycznie doda wargom objętości. Nie chodzi tu oczywiście o ciemną konturówkę i jasną pomadkę, tylko o delikatne i dokładnie roztarte przejście ciemniejszego koloru w jaśniejszy.

nowy kształt

Przy korekcji kształtu dużych ust, rodzaj wykończenia nie ma znaczenia. Ale przy ustach małych, które chciałabyś optycznie nieco powiększyć, koniecznie użyj produktu matowego, bez żadnego połysku, ponieważ tylko wtedy nie będzie widać nakreślonej na nowo linii.

Typowe problemy

Na koniec jeszcze kilka rad, które pozwolą poradzić sobie z typowymi problemami związanymi z malowaniem ust.

„Wylewająca się" pomadka albo błyszczyk

Zazwyczaj przyczyną tego problemu jest nałożenie zbyt dużej ilości produktu lub fakt, że produkt zrobił się zbyt miękki (na przykład rozpuścił się w wysokiej temperaturze). W takiej sytuacji należy odcisnąć nadmiar kosmetyku na chusteczce, a opakowanie danego kosmetyku przechowywać w chłodnym i nienasłonecznionym miejscu.

Zbieranie się produktu w kącikach ust, odcinanie się koloru w połowie warg (powstające podczas jedzenia lub rozmowy), gromadzenie się kosmetyku w drobnych liniach wokół ust i jego warzenie się na ustach.

Problemy te ciężko wyeliminować całkowicie, ale znając ich przyczyny, możemy je zminimalizować. Wszystkie kłopoty mogą być spowodowane tym, że produktu jest za dużo albo nie został on wklepany palcem. Zwykle pomaga nałożenie w problematycznych miejscach nieco mniejszej ilości produktu, a w ostateczności jego wymiana na inny.

Szminka na zębach

Istnieje bardzo prosty trik likwidujący problem. Polega on na włożeniu palca do buzi, zaciśnięciu na nim warg i wyjęciu go. Wtedy nadmiar szminki zostaje na palcu – nie na zębach.

Nietrwały makijaż ust

O tym, jak przedłużyć trwałość pomadki, możesz przeczytać w rozdziale o utrwalaniu makijażu (zob. s. 43).

Rozdział poświęcony malowaniu ust kończy naszą wspólną przygodę z makijażem. Mam nadzieję, że moje rady okazały się przydatne, że obaliłam parę mitów i podzieliłam się z tobą kilkoma dobrymi pomysłami. Przede wszystkim jednak chciałam, żeby lektura tej książki była dobrą zabawą i źródłem praktycznej wiedzy o sztuce, jaką jest wykonywanie makijażu.

Oto moje filmy dotyczące pielęgnacji i makijażu ust.
Obejrzyj je, jeśli chcesz poszerzyć swoją wiedzę.

Nowe usta w dwie minuty!
http://www.redlipstickmonster.pl/tajniki/nowe-usta.html

DIY: Uratuj pomadkę!
http://www.redlipstickmonster.pl/tajniki/uratuj-pomadke.html

DIY: Balsam do ust
http://www.redlipstickmonster.pl/tajniki/balsam-do-ust.html

Pomadki idealne dla każdego!
http://www.redlipstickmonster.pl/tajniki/pomadki-idealne.html

DIY: Smaczny i tani peeling do ust
http://www.redlipstickmonster.pl/tajniki/peeling-do-ust.html

Ratunek dla suchych i spierzchniętych ust
http://www.redlipstickmonster.pl/tajniki/suche-usta.html

Jak dobrać kolor pomadki?
http://www.redlipstickmonster.pl/tajniki/kolor-pomadki.html

Na zakończenie

I tak oto dotarłyśmy do końca książki. Jak zapewne pamiętasz, na samym początku stworzyłaś listę problemów makijażowych, z którymi chciałabyś się uporać. Rzuć teraz na nią okiem raz jeszcze, przeanalizuj punkt po punkcie i wykreśl te elementy, które już nie sprawiają ci kłopotów. Możesz nawet wyrwać i zniszczyć tamtą kartkę, jeśli tylko masz na to ochotę!

Jeśli jednak na liście z początku książki nadal pozostały jakieś pozycje, to przede wszystkim nie zniechęcaj się, tylko ćwicz. Z doświadczenia wiem, że każda z nas jest w stanie nauczyć się wykonania każdego etapu makijażu. Podzieliłam się z tobą

moją wiedzą, a teraz tylko od ciebie zależy, ile czasu i zaangażowania włożysz w to, by dojść do perfekcji w wykonywaniu makijażu.

Proszę cię także o to, żebyś nie wahała się pytać, jeśli coś jest dla ciebie wyjątkowo trudne. Koniecznie daj mi o tym znać: mój adres znajdziesz na stronie **www.redlipstickmonster.pl**.

Książka, którą trzymasz w ręku, to tylko jeden z etapów drogi do doskonalenia makijażowego warsztatu. Pisząc mi o tym, co nadal jest dla ciebie niejasne, wpłyniesz na to, jakimi ścieżkami będzie przebiegać nasza kolejna wspólna przygoda czytelnicza!

Słowniczek

beauty blender – to jedno z najczęściej podrabianych i odtwarzanych akcesoriów do makijażu; opatentowana gąbka o jajowatym kształcie, służąca do aplikacji przede wszystkim podkładu na twarz (ale również innych mokrych lub suchych produktów); daje efekt bardzo dobrego krycia, trwałości makijażu i wtopienia się produktu w skórę.

blendowanie – gładkie, gradientowe roztarcie (na przykład cieni na powiekach lub różu na policzkach); w makijażu zawsze dążymy do tego, aby przejście między jednym a drugim produktem było niewidoczne; aby uzyskać taki efekt, potrzebujemy dobrej jakości produktu, pędzla o konkretnym kształcie oraz delikatnych, kolistych ruchów podczas nakładania kosmetyku.

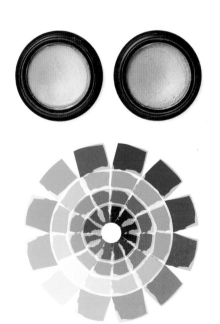

kamuflaż – najbardziej kryjący i najcięższy rodzaj korektora; stosowany głównie do zakrywania bardzo mocno napigmentowanych przebarwień, znamion lub nawet tatuaży.

koło barw – graficzny model prezentujący zasady powstawania i mieszania się barw; standardowe koło barw obejmuje 12 kolorów – w tym kolory podstawowe (czerwony, niebieski, żółty), kolory pochodne, z których każdy jest połączeniem dwóch kolorów podstawowych (fioletowy, pomarańczowy, zielony) i kolory trzeciego rzędu (czyli połączenia kolorów podstawowych z pochodnymi).

konturowanie/modelowanie twarzy – nadawanie twarzy optycznie nowego kształtu przy użyciu produktów, które przyciemniają, rozjaśniają i/lub rozświetlają twarz.

linia wodna – część dolnej powieki oka, która graniczy z jednej strony z rzęsami, a z drugiej z gałką oczną.

łuk Kupidyna – część twarzy pomiędzy górną krawędzią warg a nosem, z mniej lub bardziej zaznaczonym zagłębieniem pośrodku.

nasycenie koloru – natężenie koloru, inaczej zwane saturacją; to jego intensywność, bardziej nasyconą barwę określamy jako bardziej żywą.

peeling/złuszczanie/eksfoliacja – proces pozbywania się wierzchniej warstwy naskórka (zwykle martwej); peeling może być fizyczny lub chemiczny; najczęściej wykonywany jest w celach kosmetycznych; delikatny peeling twarzy zalecany jest raz w tygodniu.

pędzle *duo fibre*/skunksy – pędzle składające się z dwóch rodzajów włosia, posiadające włókna krótsze (zwykle naturalne) oraz dłuższe (syntetyczne); krótsze włosy pełnią funkcję podpory dla dłuższych; przez swoją budowę pędzle te aplikują niewielką ilość produktu; są polecane dla osób, które nie mają lekkiej ręki do makijażu.

płyn micelarny – roztwór wodny zawierający cząsteczki zwane micelami, które mają właściwości hydrofilowe i hydrofobowe, co sprawia, że płyny tego typu skutecznie radzą sobie z zanieczyszczeniami na bazie zarówno wody, jak i tłuszczów; płyny micelarne

polecane są dla każdego typu skóry, ale szczególnie dla tych bardziej wrażliwych i alergicznych, ponieważ mimo swojej skuteczności w oczyszczaniu nie powodują podrażnień.

rumień – stale lub czasowo rozszerzone naczynka skóry, które często identyfikujemy jako jej zaczerwienie; zwykle występuje na policzkach lub dekolcie pod wpływem emocji lub temperatury; stały rumień na twarzy w kształcie motyla jest jednym z objawów trądziku różowatego.

stemplowanie/wklepywanie – ruch polegający na wtłaczaniu produktu w skórę; najczęściej wykonywane jest przy pomocy pędzla lub gąbki; pozwala na uzyskanie dobrej pigmentacji produktu (na przykład podkładu) i przyczynia się także do zwiększenia jego trwałości.

tonizacja skóry – proces, który powinien następować po oczyszczeniu skóry, a przed aplikacją kremu; polega na przywróceniu cerze naturalnego pH, w celu zapewnienia odpowiedniego poziomu równowagi, aby była gotowa na przyjęcie kosmetyku nawilżającego i odżywczego, jakim jest krem.

walor koloru – określenie natężenia światła względem cienia, czyli – prościej mówiąc – jego jasność lub zaciemnienie.

zalotka – metalowe narzędzie wyprofilowane pod kątem kształtu oka; przeznaczone do czasowego podkręcania (wywijania) rzęs; aby efekt był utrwalony, zaraz po jej użyciu należy wytuszować rzęsy.

Spis treści

Fotografia na pierwszej stronie okładki
Adrian Błachut, adrianblachut.com

Fotografie na stronach 118, 146, 159, 166, 174
Wojciech Kostoglu, www.wojciechkostoglu.pl

Pozostałe fotografie
Adrian Błachut, adrianblachut.com

Modelki
Katarzyna Bielarczyk
Narine Amiryan

Projekt okładki i stron tytułowych
Paweł Panczakiewicz/PANCZAKIEWICZ ART.DESIGN

Projekt wyklejki
Marta Dąbrowska

Opieka redakcyjna
Oskar Błachut
Magdalena Suchy-Polańska

Redakcja
Maria Kata

Adiustacja
Agnieszka Stęplewska

Korekta
Joanna Bernatowicz
Aurelia Hołubowska

Projekt graficzny i skład
DAKA – Studio Graficzne, Dawid Kwoka

ISBN 978-83-240-3549-6

Książki z dobrej strony: www.znak.com.pl
Więcej o naszych autorach i książkach: www.wydawnictwoznak.pl
Społeczny Instytut Wydawniczy Znak
ul. Kościuszki 37, 30-105 Kraków
Dział sprzedaży: tel. 12 61 99 569, e-mail: czytelnicy@znak.com.pl
Wydanie I, Kraków 2015
Druk: Colonel